こどもの一生

中島らも

集英社文庫

本書は二〇〇三年一二月、集英社から刊行されました。

編集協力・小堀　純

目次

こどもの一生　5
MAKING of「こどもの一生」　407
解説　いしいしんじ　414

こどもの一生

ながきよの夢をゆめぞとしる君や
さめて迷へる人をたすけむ

明恵房高弁《みようえぼうこうべん》

〈一〉

水平安定板と回転翼に陽の光をいっぱい浴びて、ヘリコプターは今、瀬戸内海上空を飛んでいた。キャビンには二人の人間が乗っていた。

秘書の柿沼が言った。

「社長、ご覧ください。左下に見えているのが問題の亀島ですよ」

社長の三友《みつとも》はゆっくりと柿沼の方を振り向いた。禿げあがった頭の際にわずかに残った髪を右耳の上から櫛でとき上げて、何とか左耳のあたりまで届かせていた。俗にいう「すだれ禿げ」というやつである。社長はゆっくりと顔を向けながら、

「柿沼。おまえ今何て言った」

「え。それは左下に見えるのが問題の亀島です――と」

「そうじゃない。その前におまえこの三友に何と言った」

「それは……。社長、下をご覧くださいと」

「ご覧ください、か。ご覧くださいというのは命令形だな。お前、何時《いつ》からこの三友に命令できるくらいに偉くなったんだ、え」

三友は言いながら柿沼の頬におもいっきりパンチを入れた。柿沼は狭いキャビンの床に身を投げ出して、

「は。申し訳ございません。今後は気を付けますので」

三友は這いつくばった柿沼の頭に靴をのせて、ぐりぐりと捻《ね》じりながら、

「いいか。わしに命令できるのは死んだお袋と薬務局だけだ。ラジオ体操のときだってわしは頭を下げなかった」

「何とも気がつきませんで」

「二度とするなよ」

三友はキャビンの入り口から大きく身を乗り出すと、左方向の亀島を見おろした。柿沼は驚いて三友の胴を抱きしめた。

「社長、この辺は気流が激しいんですからあまり身を乗り出されると風で吹っ飛ばされてしまいます」

三友は自分の席に戻るとせせら笑いながら言った。

「書類での報告は受けていたが、ほんとうにちっぽけな島だな。このヘリコプターが降りたらヘリの下にすっぽり隠れてしまうんじゃないか」

柿沼は書類を取り出して眺めながら、

「いえ社長、小さいと申しましても直径十キロ、島周三十五キロはありますので」

「ので、何だ」

柿沼はびくっとしてその後でおどおどと、

「はい。このヘリコプターの下に島が隠れるということは、よもやあるまいと」

三友は胸ポケットから煙草を数本取り出し、ゆっくりと柿沼の口にくわえさせた。

「なぁ柿沼。わしが言ったのは冗談なんだよ」

そしてまたゆっくりと柿沼のくわえている煙草に火を点《つ》けた。

「冗談を言ったときは柿沼、どうするんだったかなぁ」

柿沼のくわえている煙草の先が、ぷるぷると震え出した。

「はい。わ、笑うんであります」

三友は柿沼の方にねっとりと身を寄せ付けて、

「そうだよ、笑うんだよ柿沼。わしはおまえを雇って二十年になるが、いまだにおまえの笑った顔を見たことがないぞ。一つここで笑ってみせてくれんか、なぁ柿沼」

柿沼は観念したのか一つ深呼吸をすると、笑った。

「ひひょっひひょっひひょっ」

「おまえ今までに笑ったことがないのか」

「は。申し訳ございません」

「わしなんかよく笑うぞ、大儲けしたときにな。この亀島でも大儲けできそうだな。この島の上を本四第四架橋が通るというのは確実な情報なんだろうな」

「はい。これはもう国土交通大臣の堺様から直接にいただいた情報ですので、ひっくり返る心配はご無用です」

「そうか。人口は何人だ」

「基本的には三人です」

「三人」

「はい。水が出ませんので。三人のうち一人というのは島の西側の灯台に常駐している人物で、これは海上保安庁の人間です。島の中央に大きな洞窟がありましてこれを境に島は東西に分かれます。島の東側にはＭＭＭという少し風変わりなサイコセラピーの施設があります」

「何だそのサイコ何とかというのは」

「話せば長くなりますが」

「じゃ、話すな。灯台はちとやっかいだが国土交通省の堺にゼニをくれてやって、どこか別の島に移転させよう。サイコ何とかも別の島へ移らせよう。本四架橋からこの島へインターチェンジを引っぱり込む。そしてこの島は丸ごとレジャーランドにする。バカどもがどんどん金を落としていってくれるぞ。なぁ柿沼」

「はい、今日から一週間はこの亀島の視察ということで。まぁ視察といっても骨休みたいなもんですから。何でも我々のストレスを取り去ってくれるらしいですよ。MMMは」

「しかし我々が島買い取りの視察に来ていることだけは悟られるんじゃないぞ。リハビリしてもらった上に大儲けだ。はっはっはっはっはっ。柿沼おまえも笑え」

「あ、はい。ひひょっひひょっひひょっ」

「はっはっはっはっは」

「ひひょっひひょっひひょっひひょっ」

「はっはっはっはっはっは」

「ひひょっひひょっひひょっひひょっ」

三友と柿沼を乗せたヘリコプターは、島の周囲を三回ほど回り、やがて高度を下げて亀島へと舞い降りていった。

〈FILE No. 0112〉

患者名　三友留吉。生年　昭和十二年、富山県生まれ。病名　突発性躁病。時おり強度の万能感に襲われることがある。昭和四十四年四国を買い取ると言ってまわりの者を困らせた。昭和四十八年、今日の太陽は西から出ると言って、都内の精神科病院に入院。性格　頑迷固陋《がんめいころう》。協調性、無し。それが幸いしてか企業の方は順調。現在「三友ドリンク」「三友フーズ」「三友ミート」「三友デリバリー」「三友観光開発」「三友製薬」いずれも一部上場企業。経営は順調。三人目の妻政子と長男真一（第二の妻との間にできた子供）、家政婦三名、コック一名、運転手一名。これらを引き連れて、鎌倉の壮大な屋敷に住んでいる。会社は渋谷にあり、十二階建のビルを三友グループが買い切って全員が営業にはげんでいる。今のところ会社に不安の要素はない。

〈FILE No. 0113〉

患者名　柿沼三郎。生年　昭和三十五年、東京都生まれ。病名　軽いうつ病。性格温和。責任感、忠誠心が強い。昭和五十七年早稲田大学卒、就職活動に奔走するも生来のあがり性が禍いして一社も受からず、ついには「女子社員募集」の会社に女装して面接を受けるも、一目で見破られつまみ出される。そこに商談で来ていた三友社長に「ええ根性しとる」と見初められて、三友社長の秘書となる。以来二十年間三友社長の片腕として暗躍する。

ヘリコプターが爆音をたてて降りて来た。ＭＭＭの敷地には広大な広場があり、その一部がコンクリートをなめらかに張った駐車場になっていた。そこに三友のヘリコプターは舞い降りたのだった。

三友と柿沼は屁っぴり腰でタラップを下りた。ヘリコプターの一円はものすごい爆風であった。爆風は三友社長の頭部を容赦なく襲い、それまでチックでかろうじて頭に貼り付けていた髪の毛を、ざんばらの生はげのようにしてしまった。

「ああっ、セットが、セットが」

と社長は髪の毛を元に戻そうとしたが、そのために髪の毛はよけいにざんばらになっていくのだった。

三友と柿沼を残してヘリコプターはすぐに飛び去った。

二人の人物が迎えに出てきた。三十五、六の男性と二十六、七の美しい女性と。いずれも看護服を身にまとっていた。

「いやぁもう、遠いところをご足労でした」

と、看護服の男が言った。

「いやいや、わしら海外へ出かけて商談することも多いもんですから、これくらいのフライトは屁でもありませんわ。煙草だってガンガン吸う。何せあのヘリコプターはわしが買ったもんですからなぁ。え、灰皿。そんなものは置いてませんよ。窓からポイポイ捨てちゃう。わしに言わせりゃぁね、地球はこの世で一番でっかい灰皿ですよ」

三友は咳《せき》に近いような音をたてて笑った。そして切った痰《たん》をコンクリートの上にペッと吐いた。

看護服の男は名刺を取り出した。そこには「MMMクリニック院長　武本正春」の字が読み取れた。

「ああそうですか。私、三友です」

そう言っただけで三友は名刺を出す気配も見せなかった。お前みたいなチッポケな医者にわしの権威ある名刺をくれてやってたまるか。三十年早いわ、といった態度であった。

柿沼ははらはらとしてこの情景を眺めていた。いつものことではあるがそれは相手が企業人である場合であって、そこではいろんなノウハウやタクティクスが幅を利かせ、その中にはわざと相手を怒らせる戦法も存在している。しかし今日は相手が悪い。医者なのだ。医者というのはすべて一国一城の主なのだ。プライドが高い。よその医者を良く言うと、きまって苦い顔をされる。ここの院長は腹をたててはいないだろうか。

　院長は無茶苦茶に腹をたてていた。

〃この業突《ごうつく》爺いめ。名刺一枚渡すのが惜しいのか。お前がおっちんだときに連絡先が解らないと困るから、名刺交換してるんじゃないか。それに何だ、人の病院の玄関先で痰なんか吐きやがって。第一そのカツオノエボシみたいな頭は。それが人前に出る頭か。まぁいい。これから一週間ＭＭＭ療法でたっぷりかわいがってやるからな〃

　一方、看護婦は腰をピシッと四十五度に曲げて柿沼に挨拶をしていた。

「婦長の井出でございます。何かお気にさわることでもございましたら遠慮なくおっしゃってください」

　柿沼はシルバーの渋い光沢を放つ名刺入れを取り出すと、やはり丁寧に腰を曲げて井出に名刺を渡した。井出は柿沼に向かってにっこりと微笑んで、小さくお辞儀をすると、

「七日間、短い間ではございますが、どうぞよろしくお願い申し上げます」

「あ、いやいやどうも」

　柿沼は完全にアガっていた。その証拠に井出に強く握手をしてしまった。

　院長が言った。

「こんな所では何ですから、ロビーの方へ行ってお話ししましょう」

四人はロビーの方へと向かった。

広大なロビーであった。大理石の床。壁には大きな魚の拓本が飾りつけられていた。そこに四対ほどのソファとテーブルが置かれていた。

そしてこのロビーは魚の拓本を除いて、全て緑色で統一されていた。床の濃いグリーン。壁側のけざやかなグリーン。ソファとテーブルの温かみを帯びたグリーン。そこに座ると皆気持ちが落ち着いたようで、立腹していた院長の顔がみるみるうちにほどけてきた。三友は自分の髪の修復に夢中になりながらも、

「ここでは禁煙ですかな」

「いやいやいいんですよ。だいたい最近の喫煙バッシングは度を越していますよ。私も面倒な問題にぶち当たったときにはロスマンを吸います。井出君、灰皿を持ってきてくれたまえ」

「はい、院長」

井出はしばらくすると大きな円形に煙草を置くためのくぼみを八つつけた灰皿を持ってきた。社長は柿沼に向かって、

「おい柿沼、お前も吸えよ」

柿沼は、

「は」

「この柿沼はね、わしなんか及びもつかないヘビースモーカーなんですよ。おい柿沼〝イー〟をしてお前の歯を院長に見せてやれ」

「あ、はい。柿沼〝イー〟をやります」

柿沼は両唇の端に指を入れ、そして院長に向かって思いっきり〝イー〟をやった。

柿沼の歯は歯並びこそしっかりしているものの、端から端までヤニでまっ茶色であった。

「ほう、これは見事なヤニの付きっぷりですなぁ」

「何でも日に五十本は吸っとるらしいですぞ」

柿沼があわてて、

「いいえ、五十本なんて。せいぜい四十本がいいとこですよ」

「それにお前の吸っとるのはロングピースじゃないか。日本で二番目に強い煙草だ。まぁ長生きはできんわなぁ、はっはっはっは」

柿沼は作り笑いを浮かべながらアイボリーと金でデザインされたロングピースを一本抜くと、ライターで火を点けた。このライターは注文して作らせたデュポンで〝S・K〟と、イニシャルが彫ってあった。

院長が笑いながら言った。

「確かに長生きできない一要素だとは思うのですが、私の家にはいつの頃からか家訓がありまして、それは『鍛えに鍛えて癌で死ぬ』というんですがね」

一同が笑いさざめいた。

そこに〝ボーッ〟という船の汽笛が一同の笑いをさえぎった。三友が、

「何だ、何だ。急に」

井出が笑いながら答えた。

「あれはここの入江に入ってくるフェリーの音ですわ。週に一度食料品や衣料品、その他の生活必需品を運んで来てくれます。あ、それにクライアントもね」

柿沼が三本目の煙草に火を点けながら尋ねた。

「クライアントとは、何ですか」

院長が答えた。

「ここでは患者さんという言い方は一切しません。そうしないと医者と患者の間に支配関係が成立してしまうからです。ですから、患者のことはクライアント、こういう呼び方をします。すぐにお解りになると思いますが、ここは通常のクリニックではありません。まあ一種のリゾートランドだとでも思っていただければ、一番近いでしょう」

三友が、

「何だ、遊べばいいのか」

井出が言った。

「はい。もちろんいくつかの守っていただかねばならないルールがありますが、基本的には遊ぶのがクライアントへの治療です」

柿沼が遠い目つきで、

「遊ぶのか……。そういえば長い間釣りにも行っていないなぁ」

そして壁に飾られた魚拓を眺め、目を輝かせて言った。

「この魚拓の魚はみんな院長が釣られたのですか」

院長はうれしそうに言った。

「おお、あなたもお仲間ですかな」

「いや、ここ二十年はやっていませんが、以前は毎日のように通ったものです」

「それは海、川」

「主に東京湾で五目釣りをやってましたが、たまに大きい奴がヒットするもんですから、竿を三本もおシャカにしてしまいましたよ」

「そうですか、あの魚拓の魚は。あなたちょっと来て近くで見てください」

柿沼はうれしそうに院長に付いていった。

三友は面白くなさそうな顔で、自分のライターを点けたり消したりしながら、

「ああ、こりゃもう駄目だわ。ガスが切れかけとる。ねえ婦長さん、このライターも

う駄目だわなぁ」

井出が答えた。

「ご安心ください。院内には前のクライアントが忘れていったライターがたくさんありますから。まぁそのうちライターなんかいらなくなるでしょうけれど」

「何。それはどういう意味だ」

井出はふっと微笑むと、

「すみません。新しく来られたクライアントを御案内して参りますので」

三友はむっとした表情を隠さなかった。ロビーでは院長が柿沼に魚拓の説明をしていた。子供のように嬉々として。

「これは平成八年に船釣りをしていて当たったタイです。目の下一尺とはこいつのことをいうんでしょうなぁ。四十二センチあります。こちらは突堤で釣ったグレですが三十八センチある。柿沼さん」

「はい」

「この島の周辺はね、魚の王国なんですよ。こんなちっぽけな島に誰も来やしません。来たって私が私有地だといって追い返しちゃう。だからこの島の周りの魚影の濃いことったら。この島での食事の魚の大半は私が釣ったものですよ」

柿沼と院長は楽し気に笑い合った。癇癪《かんしゃく》を起こした三友がソファから立ち上がって叫んだ。

「おい柿沼、いつまで嬉しそうにしゃべっているんだ。株主総会も近づいているんだ。わしはこんな病院みたような遊園地みたようなところで、油を売っとるわけにはいかんのだ。柿沼、わしは帰るぞ」

「そうはいきません」

一同が見やった先に井出が立っていた。その後ろに三人の男女の姿があった。

「フェリーはもう出てしまいました。一週間後でないとこの島に立ち寄ってはくれません」

ボーッという船の汽笛が遠くで又鳴った。三友は言った。

「今ならまだ間に合うかもしれん」

「三友さん。あのフェリーを追ったり追いかけられたりしながら、二十キロも泳ぐおつもり」

「くそ」

院長がクライアント同士を紹介した。

〈FILE No. 0114〉
患者名　藤堂《とうどう》広志。生年　昭和五十八年、東京都生まれ。病名　うつ病。大腸カタル。性格　自己顕示欲強し。年上の人間を馬鹿者扱いする傾向がある。頭脳明晰。危機に対する反応が素早い。少年期、コンピュータの天才と謳《うた》われたことがある。いずれの患者にも共通していえることは、思春期迄に母親を亡くしていることである。

〈FILE No. 0115〉

患者名　龍善寺静《しずか》。生年　昭和四十七年、韓国釜山《プサン》生まれ。病名　男性恐怖症。性格　皮肉屋。韓国式作法道家元。十年前にソウルに行ったときに偶然この作法道に出会う。感銘を受け修業を三年。その後麻布で道場を開く。ＯＬたちの間で密かな人気を呼んでいる。

〈FILE No. 0116〉

患者名　ＥＭＩ《エミ》（本名、猪野田《いのだ》歌江）。生年　昭和五十九年、静岡県生まれ。病名　軽い分裂症。酒乱の父の元に生まれ、十五歳のとき、母、娘、弟、一丸となって酒乱の父を家から追放する。しかし金銭的に一家をささえるのは彼女しかいない。おびただしいオーディションを受けて、全て不合格となった彼女はソープランド嬢になることを決意する。その時にレッド・ホット・キャブの社長に拾ってもらい、歌手としてデビュー。デビュー曲『帚《ほうき》にまたがって』で三百万枚。二曲目『アイ・ドゥー・ラヴ・ユー』でやはり三百万枚の大ヒットを飛ばす。持病の分裂症が出たときにコンサートをキャンセルするなどの出来事がたびたび起こり、人気も下降気味。

「さあ、どうしましょう、お風呂を先になさいますか。それともお食事。ここのお風呂はとっても広くて、サウナやジャクジーなんかもあるんですよ」

と井出が言った。

「あたしお風呂がいい」

と、ＥＭＩが多少のぶりっ子を入れて言った。

「〝わたぴお風呂がいい〟っか」

三友が嫌味たらしくものまねをした。

「何ですって」

ＥＭＩがキッとした表情で三友を睨んだ。

「ふうん。それがあたしのものまねなわけね。お上手お上手。あんたにあたしのものまねはできても、あたしには一生真似できないわ。あんたのすだれはげっ」

三友は顔を真っ赤にして、それこそ頭から湯気が出るほどに怒った。

「かきぬま、柿沼」

「は、はい」

「あのスベタのところへ行って、一発殴ってこい」

「あ、しかしそれは」

柿沼が困惑しているところへ、EMIがまた言った。

「フン。何だよ。部下の手を借りなけりゃ、女の子一人殴れないんじゃないか。このふにゃちん野郎」

「なっ、何だと」

三友は怒りのために全身をぶるぶると震わせ始めた。

「わしがふにゃちんだと。と、いうことはお前はわしと寝たことがあるんだな。それとも想像でものを言っておるのか。何だったら今夜わしの部屋に来るか。バイアグラをしこたま飲んで待っていてやるぞ」

「何ですって」

院長が井出にそっと目くばせをした。

井出は三友とEMIの間に割って入って、

「まぁまぁ。到着するなりいきなり喧嘩ですか。いいんですよ、この島では。嫌いなものは嫌い、イヤなものはイヤとおっしゃっていただいて。ああ、そうだ。もう七時近いですわね。皆さんお腹すいてらっしゃるんですわ。それで気分がトゲトゲするのね。夕食にしましょう。今夜の夕食は『山海地獄鍋』ですわよ」

「いや〜ん」

と、ＥＭＩがしゃがんで叫んだ。

「あたしはワールド・ワイドなアーチストなのよ。食べるものだって、今夜の気分はヴイヤベースなんだわ。それが『山海地獄鍋』。房総半島あたりの民宿で出される田舎料理そのものじゃないの。地酒か何かあって。親父《オヤジ》が真っ赤な顔して地元に伝わるエッチな歌か何か歌って。いや。絶対にいや。山海地獄鍋いや」

井出は深々とした慈母のような微笑みを浮かべてＥＭＩに言った。

「いいのよ、ＥＭＩちゃん。わがまま言っても。じゃあ、ＥＭＩちゃんの分だけ『ヴイヤベース地中海風』にしてあげるわ」

「えっ、本当に」

「では、食堂へ御案内しましょう。右側の通路を真っすぐ行っていただいた突きあたりです」

一同はどやどやと食堂への通路を歩いていった。院長がそれを見送りながら井出の袖を引っぱった。

「え、何ですの」

「ヴイヤベースが何とかって言ってたけれど、大丈夫かい、作れるのかい」

「どうってことありませんわ。ＥＭＩちゃんの分だけガーリックを効かせて、オリーブォイルをうんと入れて、もったいないけどサフランを加えれば、もう立派なヴィヤベースです。どうせのことだから、器もＥＭＩちゃんの分だけ地中海風のものに替えましょう」

院長はロスマンを一本箱から取り出し火を点けた。

「全く。到着早々手のかかる連中だ。私は自分がサイコセラピストにかかりたい気がするよ」

井出はにっこりと微笑んで、

「先生以上の名医がいればね」

と言った。

食堂はやはり淡いグリーンの色調でアールデコ風の四人掛けのテーブルが二つくっつけられ、クライアントはゆうゆうと座っていた。三友だけが、わいわいと騒いでいた。柿沼を又困らせている。

「おい柿沼、ビールは無いのか、ビールは」

「はぁ、ここは自由だといっても、あくまで病院ですので、ビールはちと無いんではないかと」

三友が柿沼の頬を思いっきり殴った。

「ありますよ、ビール」

井出だった。

「えー。本当かね婦長さん。酒があるのかね」

と、三友が頬をほころばせた。

「ありますとも、ビールにウィスキー、ワインに日本酒、ウォトカにテキーラ。紹興酒にヤシ酒。まぁたいていのものは揃っています。食前、食中のアルコールは血の流れを活発にし、栄養の摂取を良くします。まぁ、程々に召し上がればの話ですけれど」

三友が叫んだ。

「凄いぞ婦長」

「あ、それから、今から私のことは井出ちゃんと呼んで下さい。その方が親しみが持てるでしょ」

「井出ちゃんビール」

と三友。そして全員がビールを注文した。ＥＭＩがはしゃいで、

「イエ〜イ、井出ちゃん。あ、それから井出ちゃん、あたしのヴイヤベースの件、どうなったの」

「もちろんＯ・Ｋよ、ＥＭＩちゃん」

三友が、

「何だ、そのボヤボヤっていうのは」

ここに来て藤堂が初めて口を開いた。

「地中海南西部からギリシャの料理で、ムール貝、エビ、カニ、地元の白身の魚。これらをニンニク、タマネギ、オリーブオイル、サフラン、ターメリック等で調味したものです」

三友が興味をそそられて言った。

「兄ちゃんはずいぶん物識りだな。名前は何て言うんだ」

「藤堂と申します」

「藤堂か、略してとっちゃんか。ははは、こりゃ良いわ。とっちゃんがいたらコンピユータはいらんなぁ」

そこへ井出がビールの壜を五本持って来た。柿沼が、

「井出ちゃんは飲まんのですか」

井出は齧歯《げっし》類のような歯を先っぽだけチロリとのぞかせて笑った。

「これでも一応勤務中ですので。ああそうだ。ちょうど良いチャンスだから乾杯をしましょう。皆様の滞在が価値あるものであることを祈って。カンパーイ」

一同が小さめのグラスのビールを、グイ、グイ、グイと一気に空けた。

「井出ちゃん、ずる〜い」

と、ＥＭＩ。

「井出ちゃんだけ、ビール飲んでないんだもの」

この時、ＥＭＩの隣りに座っていた龍善寺静が、その名の通り静かな口調で口を開いた。

「いいのよ。ＥＭＩちゃん。乾杯というものは所詮儀式なのですから。そこにビールがあろうとなかろうと、儀式が人に及ぼす影響というのは同じことなのですわ。ねぇ井出ちゃん」

井出は少し驚いた様子で、

「家元はユングか何かお読みになってらしたんですか」

静は地上に着くとすぐに溶けてしまう淡雪のような笑みを浮かべて言った。

「ええ。ユングも少しは齧《かじ》りましたけれど、私《わたくし》には民俗学の方が面白くて、途中で軌道修正してしまいましたわ」

おほほほ、と静が笑った。

はははははと井出が笑った。

がははははっと三友が笑った。

「何のことやら、さっぱり解らん。柿沼、お前解るか」

「は。社長に解らないものが私に解る訳がないと存じます」

「ははは。可愛いことをいう奴だ。歩くコンピュータとっちゃん。お前は解るか」

藤堂は飲み干したビールのグラスを、ゆっくりとテーブルの上に置き、

「全部解ります。ただユングにしても民俗学にしても、集めればこの部屋一杯くらいの量になります。それでもよろしければダイジェスト版で二時間くらいでお話ししますが、どうでしょう」

「ひゃあ。そんなのはまっぴら御免だ。わしは無知のままでいい。無知程強いものはこの世に無いんだからな。え、そう思わんかね。とっちゃん」

藤堂は苦笑いして答えた。

「そうですね。西欧に於いて百科全書派が姿を消していったというのも、その遠因は」

「わぁあ。もうよしてくれ。頭ががんがんする。だいたい君たち物識りのおかげで、わしはこれまで一銭たりとも儲けさせてもらったことがない。わしの今日《こんにち》の財を成さしめたのは、全部これだよ、これ」

三友は自分の頭を指さして藤堂に見せた。

「ハゲですか」

と、藤堂は言った。

三友が泡を噴きそうになったとき、井出が山海地獄鍋をカートに乗せて運んできた。

「お待たせしました。今夜の食事、山海地獄鍋です。これはあらかじめ申し上げておかねばならないと思うのですが、このクリニックの食事ははっきりいって毎晩同じものが出されます。それは院長が毎日の食事を海から捕ってくるため、自然と食材も似たようなものになるからです。ただ仕事が少くて院長が暇な時は彼は山へ行きます。そこで野鳥を捕ってきます。とってもおいしいですよ渡り鳥は」

「井出ちゃん、わしはあんたの講釈を聞きに来たんじゃないんだ。わしは飯が食いたいのだ」

三友が嫌味ったらしく言った。

「あらまぁ、そうでしたわねぇ。では今から山海地獄鍋を配ります。まず藤堂君。気を付けて下さいね。悪魔のように熱いですから。はい、龍善寺さん。EMIちゃんは特別ヴイヤベース・地中海風にしてあります。はい、柿沼さん」

一番最後に残ったのが三友であった。三友は井出を睨むようにして言った。

「あんた。わしに恨みでもあるのか。それとも何か、長幼の序を知らんのか」

井出は落ち着いて料理を配りながら、

「あらあらすみません、三友さん。遅くなった代わりに三友さんの分だけ超大盛りにしておきましたからね」

「おお、なかなか話が解るじゃないか。よっし喰うぞ」

藤堂は配られた自分の鍋を涎《よだれ》を垂らすようにして眺めた。

「おおこれはすごい。僕は地中海には一度行っただけだが、こんな素晴らしい海鮮料理にはお目にかかったことがない。まずこの貝ですが」

三友が、

「何だねこのアワビを小さくしたような代物《しろもの》は」

「これはトコブシという貝です。アワビに似ていますが二回り程小さい。しかし味はアワビに勝るとも劣らないものを持っています。それからこの白身の魚ですが、これはコチです。非常に淡泊な味わいを持っています。それからこの紫色をした貝ですが、これはムール貝です。日本では〝ムラサキイガイ〟という名前を頂戴していてあまり食べません。しかしヨーロッパではムール貝と呼んで人々は喜んでこの貝を口にします」

三友が鍋の中のタコをひょいとつまんで持ち上げた。

「こんなものも連中は喜んで喰うのかね」

「はい。好きな人にはたまらないご馳走であるようです」

「なるほどなぁ。おい柿沼。人の話は聞いてみるもんだなぁ。日本では今のところ南アフリカから輸入している。このタコ捕りのノウハウを地中海あたりの漁師に叩き込んで、じゃんじゃんタコを捕らせる。確かイタリアでもイカ、タコを喜んで食べると聞いたことがあるぞ。これでわしはタコ長者だ」

「ほっほっほっほっ」

龍善寺静が忍びやかに笑った。

「ほっほっほっほっ。面白いこと」

細面の顔に走ったその笑いは、凄艶ともいえるものだった。

三友が面白そうに言った。

「ほう。わしらそんな面白いことを言ったかなぁ、姉ちゃん」

静はナプキンを膝の上に掛けながら、

「あらあらご免なさい。でも私《わたくし》の携っているお仕事の面から観察していますと、皆様方一挙手一投足、とっても面白かったものですから、ついはしたなく笑ってしまいました。ご免なさい」

三友はそんな静を見た。〃なかなかいい女だな。銀座の姉ちゃんよりはぐっといかしているぜ〃。

そして三友は静の方にぐっと身を乗り出して、

「姉ちゃんは何の仕事をやっているんだい」

静は凛然《りんぜん》として背筋を伸ばした。

「私《わたくし》は韓式礼法を皆様にお教えしています」

「何だねそのカンシキレイホウというのは」

「韓国の礼儀作法のことですわ。人との接し方、ご飯のいただき方。近いようでいて日本と韓国では礼儀作法に大変な違いがあるのです」

「わしらの作法が悪くて韓国の作法がいいというのかね」

三友はきっちりと握り箸にしたその手をぷるぷると震わせつつ言った。静はあわてて言葉を繕《つくろ》った。

「いいえ。そういうことではないのです。文化にしろ、スポーツにしろ、ある一定のレベルを越えるとそこにあるのは〝違い〟だけです。私はそこへ行くまでの道ゆきをサポートしているだけのことです」

「だとしてもだ、わしらの飯の喰い方のどこかがおかしくて笑ったんだろ、え」

「まあ、そういうことではないのです。では、日本の作法と韓国のそれとの違いを少しだけお話ししましょう。先ほど三友社長がみごとな握り箸を見せて下さいましたが、韓国では食事にお箸はあまり使いません」

「じゃあどうやって喰うんだ」

静はチョゴリを意識したデザインのスーツの胸元から、あざやかにスプーンをひとつ取り出した。

「これでいただきますのよ」

そう言うと、静は鍋にふんだんに煮込まれている素材の中から、マッシュルームに似たキノコをすくい取ってつるりという感じで口の中に入れた。

全員がその官能的な口元をどきどきしながら眺めた。

そこへ井出ちゃんがやって来た。

「皆さん、お食事はいかがですか。調味料等でこれはほしいと思われるものがあれば遠慮なくおっしゃって下さい。この井出ちゃんが魔法のように持って来ますから」

三友が井出ちゃんに言った。

「えーっとあのなぁ井出ちゃん」

「はい、ケチャップですか」

「いや、そういうことじゃなくって」

「はい、トンカツ・ソースですか」

「そうじゃないんだ。わしはスプーンがほしいんだよ」

「えっ、スプーンですか」

「僕も」

と藤堂が言った。

「あたしも」

とＥＭＩが言った。

「私も」

と、柿沼。

井出ちゃんは目を丸くして、

「スプーンが四つですね、わかりました」

井出ちゃんは素早く走り出すと、やがて魔法のように四本のスプーンを持って又現われた。

一同は静がしたように音もたてずにキノコをすくいだして、口の中に入れた。三友が、二つ目のキノコを口にすると唸《うな》った。

「うーん。何というコクのあるダシだ。このうまさの元はトコブシやコチやムール貝から滲み出しているものでもあろうが、このキノコの出すうまみが強烈な伏兵となっているのだ。おい柿沼、おまえのキノコを全部わしによこせ」

言うなり三友は柿沼の鍋から半分近くの量を自分の鍋にさらい取った。柿沼は情けない表情で寂しくなってしまった自分の鍋を眺めた。

皆はしばらくの間ものも言わずに鍋の具をスプーンですくっては口に運んだ。藤堂がこの沈黙を破った。

「うーん、おいしいですね。具とスープを一緒に口に入れるには、スプーンが最適ですね。でもやっぱりお箸がないというのは淋しい気もする。本当に韓国ではお箸は使わないんですか」

　問われて静が笑って答えた。

「お箸がない、ということではないんです。ただそれは〝取り箸〟に使うんです。お箸だけみれば、韓国のお箸は日本のお箸よりもずっと豪華なものです。韓国では結婚するときに花嫁の側がとても立派な銀のお箸を持参します」

　三友がすさまじい勢いで鍋を喰い終わり、静に尋ねた。

「なぜ銀の箸なんだ。しみったれたことせずにどんと張り込んで、金の箸にすりゃいいじゃないか。なんなら姉ちゃん、わしがあんたに買ってやろうか、金の箸。ひっひっひっひっひっ、それとも毛皮がええか、マンションか。ひっひっひっひっひっひ」

　静は三友に向かって微笑むと、

「御辞退申し上げますわ。その豊かな愛は、どこかの貧しい娘さんにでも差し上げればいいんですわ」

　そして静は全員に向かって問いかけた。

「なぜ銀のお箸なのか、それにはちゃんとした理由があるのです。どなたかお解りになりませんか」

　一同は頭を抱え込んだ。だいたいが、中学高校ともに最悪の成績でやってきた連中が多いのである。それがトラウマとなって今でもクイズ番組は見ない、という程の御立派な成績だったのだ。

という訳で皆は頭を抱え込む。三友に至ってはテーブルの上におでこをくっつけ、うんうん唸っている有様。

だが、すっくと背を伸ばして静の方をきりっと見つめている青年がいた。

藤堂である。

「あなたには全て解っているのね」

「はい」

藤堂は答えた。静はこの青年をうっとりとした気持ちで見つめている自分に気がついて、うろたえた。

「じゃあ先生に答えを聞かせてくれますか。藤堂君。どうして花嫁は銀のお箸を持って嫁いだの」

「それは銀のお箸が毒殺除《よ》けだったからです」

三友がぶつぶつと呟《つぶや》いた。

「何で銀の箸が毒殺除けになるんだ。何で金の箸じゃいかんのだ」

「銀には毒薬に反応する性質があります。銀は毒薬に反応すると黒く変色するのです。だから花嫁は夫の安全を祈って、銀の箸を嫁ぎ先に持って行ったのです」

静は軽く手を叩いた。

「百点満点だわ、藤堂君。まるで教科書と対話しているみたいで薄気味悪かったけど。じゃあこの質問には答えられますか。日本にも銀のお箸と同じようなシステムがあることを」

藤堂は淀みなく答えた。

「それは会食をする時の杯洗《はいせん》の風習でしょう。一つの盃を二人で飲み合います。杯洗は大きなボウルのようなもので、そこに満々と水が張られています。相手の盃をこちらが受けて飲む。又相手に盃を返す。その都度杯洗の水で盃を洗います。これがつまり毒なんか入っていないよ、というゼスチャーなのです。このようにいつの時代にも、どの文化の下でも毒殺を巡るシステムは営々とくりかえされて来たのです。例えばイギリスには〝キャット・アンダー・ザ・テーブル〟ということがありまして、これは居酒屋なんかでテーブルの下に猫を飼っています。客は気まぐれですから、テーブルの下の猫にエサをやったりやらなかったり。猫はそうしてテーブルの下で成長していくのです。ここでもし猫がころりと死んだりしたら大変です。居酒屋の料理か酒かに毒が盛られていた、ということになります。まぁ実際にはそんなことはなかったでしょうが。ここにも毒殺文化の痕跡というのが見られる訳です」

「全く何てガキだ。ペラペラペラペラしゃべりやがって。お前にはストッパーというものがないのか。しゃべってるか、黙ってるか、ＯＮかＯＦＦかのどっちかしかないのか」

　三友は藤堂に向かってわめいた。静が二人の間に割って入った。

「まあまあ、あまり激昂されると血圧にひびきましてよ」

　三友は「うっ」とひとこと言ったなり、黙ってしまった。静は何も確信があって血圧のことにふれたわけではない。適当に山をかけて言ってみただけなのだ。

　静は言った。

「あら。最初はスプーンの話をしていただけなのに、なぜこんなお話になったのかしら。せっかくおいしい夕食をいただいているのに、これじゃぶちこわしですわね。一番最初は私《わたくし》の韓式礼法についてのお話をしていたんですわ。それでは韓式礼法のお話を締《し》め括《くく》ってしまいましょう。三友社長、社長は先ほど会話の中で面白い言葉を使われましたね」

　三友は沈黙の輪を開いて静にしゃべりかけた。

「ほう、わしが何か面白いことを言いましたかな。ああ、あれだな。姉ちゃんマンション買《こ》うたろか、毛皮がええか、それとも宝石か。これのことですかな」

「いえ、そうじゃなくて〝長幼の序〟ということを言われました。この長幼の序のコンセプトこそが韓式礼法の根本となっているのです。長幼の序とはすなわち目上の者を尊ぶということなのです。韓国は儒教の国です。儒教は宗教ではなく生活に根ざした哲学なのです。だからその哲学の中でも長幼の序は大変大事なものの教え方なのです。ここはひとつ三友さんに三点差し上げておきましょう。これでスプーンの話はお終いです。スプーンで食べるかお箸で食べるかは、皆さんが御自分でお決めになって下さい」

「あたしはスプーンがいい」

ＥＭＩがハスキーな声でそう言った。その手には柄の根っこのところまで握られたスプーンがあった。静がにっこり笑って言った。

「あら、ＥＭＩちゃんはスプーンの方がいいの。やっぱり今どきの女の子ね」

「だってお箸って面倒臭いじゃないの。突き箸が悪いとか、渡し箸がいけないとか。そんなことはどうだっていいじゃないの。あたしはっきり言っちゃうけど、いまだにお箸ちゃんと持てないの。悪い？」

静がＥＭＩに言葉を足した。

「私《わたくし》もそう思いますわ。お箸だってスプーンだって、フォークだって何でもいいんです。長幼の序さえ守っていれば何だっていいんです。いっそのこと手づかみで食べたって、それはそれでその国の文化なんですから」

三友が柿沼の脇をつんつんと突いて、うれしそうに言った。

「なぁ柿沼よ、四年前にマンゴ・チャツネの仕入れでインド、スリランカへ行っただろう」

「はい、参りました」

「あの時はいろんな食堂でカレーを喰ったが、みんな手づかみで喰っておったよなぁ」

「はい。手づかみでした」

「もうみんながうれしそうにもりもりとな。ついにはわしも手づかみで喰うようになった」

「はい、手づかみで召し上がっておいででした」

「あの手づかみというのは不思議なもので食べているうちに、何となく卑猥な感じがしてくるんだ。そう思わんか柿沼」

「卑猥な感じですか。いや、社長のイマジネーションはいつも突飛なところへ行かれますので、我々凡人には十全に理解しがたいところがあるのです。カレーの手づかみを官能性にまで高められると、我々はもうついて行くだけで精一杯なのですよ」

「ん。そうか。君等から見ればわしのことはそう見えるか」

三友はげはははは、と大笑いした。その笑いにつられて柿沼もついつい調子にのってしまった。

「あの時は日本に帰るなり、いきなりやりましたものね。原宿のど真ん中に『手づかみカリー・インディア』。何せ手づかみに慣れていないお客様ばっかりですから、当然服にカリーをこぼします。白いスーツのお嬢さんがうちでカリーをこぼして真っ昼間の原宿。私どもは見て見ぬふりを致しますが子供は赦《ゆる》しません。声変わり前の高い声で、〝あー。お姉ちゃん、うんこつけてる。ねぇねぇお母さん。あのお姉ちゃん、服にうんこ付けてるよ〟〝これこれこの子は。仕方ないでしょ、お姉さん、服にうんこつけたくてうんこつけたんじゃないんだから〟当然店は閑古鳥です。うまきゃいいんですから、うまきゃ何とかなったんですが、何せ味付けのベースがレトルトのカレーなんですから、ほんとのインド人も悲鳴を上げて逃げ出したっていう。まぁ潰れますよね。二ヵ月保《も》ったのは上々ですよ。今じゃ牛丼屋になってますが。ここに来て今度の狂牛病騒ぎだ。まぁああいうのを呪われた場所とでもいうんでしょうな。ひひょっひひょっひひょっ」

柿沼は喉仏をひくひくさせて笑った。気が付くと三友の両手が柿沼のネクタイを静かに締め上げているところだった。

「こいつ、わしの数少い失敗をわざわざあげつらいおって」

「社長。苦しいです」

「おお苦しいか。うちのボンベイ支店の苦しさといったらこんなものではないぞ。日焼け止めクリームでも用意して、次の辞令を待つんだな」

「ひーぃ。あそこだけは堪忍して下さい」

三友はだんだんサディスティックな気持ちになってきて、柿沼のネクタイをさらに締め上げた。柿沼の全身から力ががくんと抜けて三友にもたれかかった。柔道でいうところの「落ちる」という状態に入ったのだ。

「何だ、もう失神してしまったのか。ふがいない奴だ。今度あの『手づかみカリー・インディア』の話をしたら、こんなもんでは済まさんからな。本当に殺してやる。ビジネスは格闘技だ」

一同がわらわらと柿沼の周りに集まった。

「ねぇ、柿沼さん。大丈夫」

とEMIが心配気に言った。

静は柿沼の心臓や呼吸を調べていたが、

「あらあら大変、息をしていないわ」

「息をしていないときはどうしたらいいの。ね、藤堂君」

EMIが藤堂をすがるような目で見た。藤堂は迷わず答えた。

「マウス・トゥー・マウスですね。誰かが柿沼さんの口に自分の口をあてて、思いっきり息を吹き込むのです」

一同がざわざわした。静が、

「その吹き込む役は誰がすればよいのでしょう」

「僕がやりましょう。お二人が女性であることを気遣うのではありません。単に僕の方があなた方より肺活量が大きい。五二〇〇ミリリットルあります」

そう言うと藤堂はためらいも見せず柿沼の唇に自分の唇を押し当て、フッと息を吹き込んだ。そしてそれを何回も繰り返した。やがて柿沼の全身に生気が戻ってきた。そして柿沼は小さな声でぶつぶつと何か呟いた。

「ん。何か言ってるぞ」

藤堂は柿沼の口元に耳を寄せた。やがて身体を起こすと、

「きかなきゃよかった」

「ねぇねぇ柿沼さん、何て言ってるの」

ＥＭＩが藤堂に尋ねた。

「ＥＭＩちゃんか静さんにやってもらいたかった。そう言ってます」

「やだエッチ」

とＥＭＩが柿沼の頬を叩いた。静は笑って、

「まぁまぁ、殿方はそのくらいのお色気でもある方が、生きている印なんじゃあないかしら」

「でも、せっかくみんなで心配してあげたのに。それに何よ、〝ＥＭＩちゃんか静さ

んに〝って、どっちでもいいわけ」

三友が一同の中に割って入って言った。

「そうなんだ。そういう奴なんだよ柿沼は。人の恩義も知らず表ではわしのことをちやほやするが、裏に廻るとわしの悪口を言っとる。そういう男なんだ柿沼は」

「そんなことはございません、社長。この柿沼、公につけ私につけひたすら社長の恩義に報いる為に、骨身を削っておるのです」

「そうよ。柿沼さん、社長のことしか考えてないのにそんなひどい言い方ってないと思うわ。働きすぎてストレスが溜まってるからこんなクリニックに来ることになったのよ」

ＥＭＩが頬をぷっとふくらませて言った。三友がその抗議を鼻で笑い飛ばした。

「何だと、働きすぎだと。わしに言わせりゃ柿沼の働きなんざ九牛の一毛にも満たないもんだ。よし、いい機会だ。わしが働くとはどういうことかあんたらに教えてやろう」

柿沼がはっとして正座した。

「皆さん。これは聞いといた方がいいですよ。三友留吉の人生訓ですよ」

「あれは昭和二十三年のことじゃった。指がこごえるような雪の越中を後にして、わしはたった一人で大阪に行こうとしていた。列車に乗って出発しようというとき、ホームにわしの母親が走るようにして駆け込んできた。わしはあわてて汽車の窓を引き下げた。母親は新聞紙にくるんだ何かをわしに手渡しながら、〝留吉、身体にだけは気をつけて一生懸命働いて、御主人にかわいがって貰うんだよ。いいかい、働くということははたを楽にさせるから働くというんだよ。せいぜいふんばって、はたを楽にさせておいで〟。そのとき汽車が発車した。わしは窓から身を乗り出して、母親の姿が見えなくなるまでちぎれるように手をふった。汽車の窓を閉じると膝の上にとても温かい何かが残った。わしは新聞紙を開けてみた。細い芋が三本入っていた。わしはそのとき初めて泣いた」

　柿沼が口を添えた。

「以上が三友留吉出世録の序でございます。さて大阪に出てきた留吉、大きな八百屋の外廻りの売り子として働き始めます」

「町々を歩いて野菜を売り捌《さば》くのがわしの仕事だった。まぁ外廻りの丁稚《でっち》、今で言えば野菜の営業といったところだ。持たされるのは天秤棒が一本。ざる二枚に盛った野菜。これを肩に担いで売り歩く。ぼてふり稼業という奴だ。最初はどうもよく売れない。なぜ売れないのかとわしは考えた。そこで解ったのはわしは売り声が小さいということだった。そして次に解ったのはわしには陽気さが足りない、ということだった。夏は暑い、冬は寒い。これが辛い。その辛さが売り声に出てしまっている。おまけに売り歩くのが恥ずかしい。それも売り声に出てしまっている。わしは番頭さんに頼んで夜、店の倉を貸して貰うことにした。売り声を大きく明るくするための練習だ。一ヵ月それを続けたら声が潰れた。声が少しも出なくなった。それを用心しいしいぼてふりを続けていると、一週間程経って声が出るようになった。大声が出るようになった。しかも魚市場のおっさんみたいな塩辛声、だみ声になった。わしは毎日ぼてふりに行く前に酒を一杯飲まして貰うことにした。もちろん女中さんとわしとの秘密のことであったが、そうすると気持ちが明るくなって余計に声が出るのだった。おかみさん達の集まる井戸端へ野菜を持って行くと、面白がられて〝嫌やわあ、この子は。子供のくせに関取みたいなだみ声出して〟、そこへ持ってきて例の三本の芋の話をすると、おかみさん達ははらはらと涙した。もちろん野菜は飛ぶように売れた。日に何度も空《から》になったざるを持って野菜の補充に帰るので番頭さんは驚いた顔をしていた。思えばこの頃からわしのビジネス・センスには光るものがあったのだ」

柿沼がうっとりとして、

「ああ、いいなぁ。三友留吉出世録。皆さん話はこれからますます感動的になって行きますよ。私なんか一千回は聞いてますが、聞けば聞く程いいんだなぁ、これが」

「あたしお風呂へ行ってくる」

ＥＭＩが言った。静は目を輝かせて、

「それいいわね。私《わたくし》もご一緒しようかしら」

「入ろうよ、入ろうよ」

「でもねぇ」

「でも、何よ」

「ＥＭＩちゃんはスタイル最高だから」

「静さんだってスタイルいいじゃないの。今日のチョゴリ風スーツ、スタイルのいい人でないと着こなせないわ」

「あら、そういうとこはしっかり見てるのね」

「だってあたし格好のいい人好きなんですもの」

「ほほほ、じゃあ一緒に入っておっぱいの見せ合いでもしましょうか」

「かぼちゃ〜え〜かぼちゃ。きゅうりにぃ〜唐茄子《とうなす》っ」

三友は自分の話に酔い痴れていた。静は向かいに座っている藤堂に声をかけた。

「藤堂君。藤堂君も一緒にどう」

「えっ」

「私《わたくし》達と一緒にお風呂に入りません」

「え、それは」

色白な藤堂の頬がたちまちのうちに真っ赤になった。ＥＭＩと静はそれを見て、

「わぁ、真っ赤になってる」

と、けらけらと笑った。

「奥さん、きゅうり一本だけでっか。何に使いまんねん」

三友は自分の話芸に酔い痴れていた。

藤堂が頬を掻きながら、

「それじゃあ、僕もお風呂に入ろうかな」

ＥＭＩがはしゃいで言った。

「サウナとかジャクジーもあるんですってよ」

「それは楽しみだ」

と藤堂は椅子から立ち上がった。

そこへ井出ちゃんが入って来た。

「まぁ皆さん、楽しそうですこと。あ、そちらの柿沼さんと三友社長もちょっとこちらへ来て、お話を聞いて下さい」

三友はそのとき初めて自分の話を誰も聞いていないのに気付き、ぐっと柿沼を睨んだ。柿沼はショボンとして小さくなった。

「お前、本当にボンベイ支店に転勤させてやるからな」

柿沼はますます小さくなった。井出の声が響いた。

「はーいみんな集まって下さいね。遅いのは牛でもしますよ。今からお薬を渡します。これは主に精神安定剤と睡眠薬です。とても強いお薬なので、これをお出しするのは今晩だけです。皆さん旅の疲れで気分が昂《たかぶ》っていらっしゃるでしょうし、又疲れてもいらっしゃるでしょう。皆さんの病気に一番必要なのは睡眠です。この薬は皆さんを必ず深い眠りにさそってくれます。ただこのブレンドは医者仲間では〝馬をも倒す〟と言われている、それ程強いお薬です。だから皆さんこの薬はベッドに入る直前に服用して下さい。それから明日はＭＭＭ療法にいよいよ入ります。院長と差し向かいになって問診投薬をして頂きます。これは十時から一人一時間、四時までかかります。朝食やお昼ごはんは普通に摂って頂いて結構です。では投薬を致します。藤堂さん」

「はい」

藤堂は薬を受け取って中身を覗いた。白い粉薬が一包、赤と白の錠剤がそれぞれ一錠ずつ。それだけだった。

クライアント達は馬をも倒すという薬を飲んで、本当にあっという間に眠りに落ちてしまった。ただし一人を除いては。

その夜の十一時頃、井出ちゃんは懐中電灯を手にして院内の見廻りをしていた。今夜も静かな夜だった。井出ちゃんは耳を澄まして院内の虫たちの鳴き声を聞いていた。吹き抜けのロビーの窓からは、イオンをたっぷりと含んだ潮風が吹き込んでいた。院長室からはまだ蛍光灯の明りが漏れていた。おそらくクライアントたちのカルテを作っているのだろう。

「熱心な人」

と井出ちゃんは微笑んだ。

そしてクライアント達の寝室の方へと歩を運んだ。

ゴーン

ゴーン

ゴーン

ゴーン

妙な音がした。このクリニックに入って以来初めて聞く音だ。

「何かしら」

井出ちゃんはその音を発しているものに対して、ゆっくりと進んで行った。進むにつれてその音は徐々に大きくなっていった。耳障りな音だった。イカ釣り船が発するようなノスタルジックな甘い音ではなく、ただただ固いもの同士がぶつかり合っているような、そんな音だった。

ゴーン
ゴーン
ゴーン
ゴーン

井出ちゃんが進むにつれてその音は大きくなってきた。井出ちゃんは懐中電灯をその音源にあてた。

「あ、あなた」

夜の闇の中に、それよりも黒くくっきりと人影が浮かび上がっていた。井出はそこに懐中電灯の光を当てた。

「柿沼さん？」

柿沼は懐中電灯の光を眩《まぶ》しそうに右手で受けて、

「ああ、井出ちゃんですか」

「一体何をなさっているの」

「何をって、パチキですよ」

「パチキって」

「頭突きのことです。私は寝る前に三十分これをやるのが日課になっています」

井出は驚いて柿沼の顔を見た。

「でもそんなことをして、痛いでしょうに」

「痛い？　ああそれは無茶苦茶に痛いですよ」

「そんな痛いことをどうして」

「気持ちいいからですよ」

「痛いのが気持ちいいんですか」

「そうじゃなくて、私はこのパチキのトレーニングを三つの段階に分けています。まず一回目のトレーニングを八分間やります。そして四分間の休憩をします。次に八分間のトレーニングをして、又四分間の休憩をします。そして最後のトレーニングをします。問題はこの四分間の休憩なのです。この休憩の間はパチキをしなくていい。痛くない。とても自由だ。至上の幸福といってもいい。あの三友社長からさえ私は自由だ。まぁまとめて言いますと〝痛くないから気持ちいい〟といったところですかね」

柿沼はある種の高揚感を表わして言った。

「だいたいがスポーツなんていうものは、この快楽原則にのっとって存在するものなんですよ。私は格闘技もたくさんやったが、つまるところ全てこの原則に基いています」

「まぁ、そんなに格闘技をやってらしたの」

「ええ。極真空手、詠春拳、ジークンドー、コマンド・サンボ、シューティング、古流柔術、柔道、古武術、ムエタイなど。まぁ全部合わせれば二十段くらいにはなりますかねぇ」

「まぁ、じゃあずいぶんお強いのね」

「強い弱いでいえば強い部類に入るんでしょうが、上を見ればキリがありませんからね。それにこの世の中、強いことが一体何の役に立ちます。世の中は武力よりも数段上の力で動かされているんだ。武力があるからって町内会長一つなれるわけじゃない」

「町内会長になりたかったのね」

「いや、そうじゃなくて」

ボー
と、汽笛が鳴った。それと同時に赤い光が二人を染め上げた。

「何ですか、これは」

と柿沼が尋ねた。

「島の向こうの灯台ですわ。ね、柿沼さん。明日院長からお話がありますが、あの灯台には絶対に行かないようにして下さいね」

「それはどうしてですか」

「灯台の人は自分なりの仕事を一所懸命されている訳です。そこへうちのクライアントが、トム・ソーヤ気取りで探険に行ってもらっては非常に困る訳です。過去にそういうトラブルが三件ありました。だから灯台に行かないことをMMMのルールにしているのです。解りましたか」

「はい。肝に銘じておきます」

柿沼は何となく解《げ》せない表情で灯台の光を眺めた。

血のような色の光だった。


〈二〉


次の日の朝食は八時から始まった。トーストとキノコ入りオムレツ。ミルク。このメニューは固定のもののようだった。井出ちゃんが皆の前に立って言った。

「はーい、みんな。残さずに食べましたか。食べたわね。人の分まで食べた人もいるんだものね」

皆の目が三友に注がれた。

「何だよ。人をじろじろ見るなよ。ああ、確かにわしは柿沼のオムレツを半分食べた。しかしそれは柿沼が例のキノコを大嫌いだというので、半分喰ってやったのだ。言わば人助けで食べてやったのであって、それを何だ。みんなしてわしが盗み喰いしたような目で見おって」

「まぁまぁ」

井出ちゃんが間に入って言った。

「喧嘩は後にしましょう。今から院長先生のお話があります。大事なお話ですから、このお話だけは真面目に聞いて下さいね」

院長が立ち上がった。徹夜でもしていたのだろう。兎のような赤い目をしていた。乱れた髪を後ろへ掻き上げると、はらはらとフケが舞い落ちた。院長の髪はサーファーのように日焼けして茶髪となっており、健康的でちゃんと手入れをすればなかなかハンサムであろうと思われた。院長は煙草に火を点けると深々と煙を吸い込み、そしてゆるゆると吐き出した。

「諸君、昨日はゆっくり眠れたろう。そんな顔してる。〝馬をも倒す〟と言われた昨日の睡眠薬だが、私もインターンの頃試してみたことがある。私は十八時間眠り、その後小便をし、うどん屋でうどんを喰い、そのまま又八時間眠った。諸君に処方した昨日の薬はもちろんもっと薄めにブレンドしてあるが、さぞ良く眠れたことだろう。ところで今日からMMMでの新しい生活が始まる訳だが、それに当たってお互いに確認しておきたいことが二つ三つある。

一つには島の向こうの灯台には決して行かないこと。灯台で働いている人の迷惑になるからだ。過去にも勝手に灯台に登って向こうの機械を勝手にいじくって、問題になったケースがある。だから灯台には行かないこと。これは遵守《じゅんしゅ》して頂きたい。

次に島の中央にある洞窟には決して入らないこと。井出ちゃんはもとワンダーフォーゲル部だったので一度調べてもらったのだが、洞窟の内部はうねりくねるように曲がっており、ところどころに危険な縦穴が口を開いている。懐中電灯の光も届かない程の深い穴だ。だからこの洞窟には絶対に近づかないように。

そして三つ目なのだが、今朝の十時から四時まで個別に問診を行ないます。そしてここから皆さんにはMMM療法に入って頂きます。MMMとはつまり〝MIND MENDING METHOD〟精神的治療の略であります。この療法ではアミタール面接というものと催眠術とを併用し、皆さんには十歳児の世界へ戻って頂きます」

一同がざわざわと揺れた。三友が口火を切った。

「十歳に戻るだと。せっかくぼてふり稼業から始めて今のこの巨万の富を築き上げたというのに、何で今さら子供に戻らんといかんのだ。冬の夜の指の霜焼けは辛いのだぞ、え、先生」

院長は苦笑いして三友に言った。

「その霜焼けが痛かった十代から始めて、社長の一生というものは順風満帆《まんぱん》では決してなかったはずです。おそらくは負け戦に泣く夜があり、不渡りの手形を摑《つか》まされ、人の借金まで背負わされ何度ももう諦めようとして、いや待てここで諦めては男ではない、そして勝って勝って勝ちまくったのが今の社長のお姿なのではないですか」

「えらいっ」

机をバンッと叩いて三友が立ち上がった。

「院長あんた偉いぞ。よくそこまでわしの半生を読んでくれたものだ」

三友の目にはうっすらと涙が浮かんでいた。

藤堂が挙手した。

「そのアミタール面接というのはどういうものなのですか」

院長が即座に答えた。

「はい。これはアミタールという薬品を服用した上での面接です。アミタールというのは戦前、軍部がスパイを尋問するときに使用した薬品で、いわば一種の自白剤です」

一同が又ざわめいた。

藤堂がするどい声で、

「自白剤？　そんな危ないものを我々に使用するのですか」

三友がにこにこしながら間に入った。

「まぁまぁいいじゃないか。自白剤の一つや二つ。治療のことは先生にお任せしておればいいいじゃないか」

院長は笑って言った。

「いや、御心配になるのはわかります。このアミタールというのは人を暗示にかかり易くさせる成分を持っていて、そのために軍部や警察で使われます。しかし現在ではおそらくほとんどの精神科医がこのアミタール面接を行なっています。もちろん薬の分量は調節してのことですがね」

静が手を挙げた。

「そうやって、私《わたくし》たちを暗示にかけて、院長は私たちに何をなさりたいんですの」

院長はロスマンを一本取ると静かに火を点けた。

「十歳のこどもになって頂きたいのです」

「十歳のこどもなんていや〜。絶対いや〜」

ＥＭＩが叫んだ。

静けさが食堂を覆った。藤堂が言った。

「そうやって我々を十歳のこどもにして何のメリットがあるんですか」

院長が答えた。

「そうですね。例えばあなた、十歳の時には何をしていましたか」

藤堂の顔が曇った。

「勉強をしていました」

「どのくらい勉強していましたか」

「学校の勉強が終わってコンビニでパンを買ってそれを校庭で食べます。そして塾へ行きます。その塾が終わったら家へ帰ります。家では数学専門の家庭教師が僕を待っています。先生が帰ったらその日の復習と予習を朝の四時までします。これが僕の十歳くらいのときの平均的学習量です」

院長は頷いて、

「それで楽しかったかね、君は」

「それは、戦争に行った兵士に楽しかったかいと訊《き》くのと同じことです」

「君の栄光の五十%はストレスによって成り立っている。そうじゃないかい」

院長は立ち上がって言った。

「君達の人生は光と影によって描かれている。君達の人生の五十%はストレスだ。さぁもう一度十歳のこどもに戻ってやりなおそう。君達にはストレスがなくなる。なぜならここには〝掟〟というものがないからだ。まず学校がない。あるのは遊び場だけだ。喧嘩をしてもいい。〝いじめ〟をしてもいい。君達の実際の十歳よりも素晴らしい世界がここにある。ウェルカム・トゥ・ザ・MMMランド」

〈FILE No. 0115〉龍善寺静

D（ドクター）あなたが子供の頃に受けた初めての精神的外傷《トラウマ》のようなものについて語って頂けますか。

C（クライアント）私《わたくし》が自分が韓国人であることを知ったのは十一歳の時でした。お使いに行った役場の書類でそれを見つけたのですが、一瞬目の前が真っ白になるような衝撃でした。家に帰って日本刀の手入れをしていた父親に、そのことを難詰すると父はからからと笑って、

「どうせ知ることやったら遅うてもええと思ってなぁ」

私は悩みました。この想いをどこにも持って行きようがない。でも親友の智子ちゃんなら秘密を守ってくれる上に相談にも乗ってくれる。そこで私は夕方の音楽室で智子ちゃんに全てを告白しました。智子ちゃんは真剣に相談に乗ってくれました。

「このことは二人だけの秘密よ」と誓い合って音楽室を後にしました。

次の日学校へ行って自分の席に座ると、ちくっとしたものがお尻に刺さりました。刺さっていたのは押しピンでした。

げらげらと笑い声が聞こえ、初めてクラスの中を見渡すとクラスのほとんどみんなが笑っていました。黒板を見るとそこには大きな文字で、

「龍善寺静は韓国人」

と書いてありました。私はその日早退しました。

D　それ程衝撃が強かったんだね。

C　それよりも何よりも親友だと思っていた智子ちゃんが一日も待たずにみんなに告げ口していたこと、それが赦せませんでした。

D　それであなたの御両親はどういう反応を示されましたか。

C　父はすぐに日本刀を取り出すと、ブンブンと振ってみせ鞘《さや》に納めました。そして、「智子という娘の家はどこや。お父さんちょっと行ってその子の親と話をつけてくる」

私達家族は必死になって父親を止めました。

次の日から私は韓国語の講座に通い始めました。十年の歳月というのはたいしたもので、私は韓国語がペラペラになりました。

そして二十一の時初めて母国の韓国を訪ねたのです。言葉は面白いように通じました。

黄海南道《ファンヘナムド》のある食堂で食事を摂っていた時のこと。店には娘さんが二人と男の子

が二人、ビビンバを食べていました。何気なく彼等の振る舞いを見ているうちに私ははっとするものを覚えました。

ソウルからここに至るまでの間、私には解決しようのないもやもやがふくらみ続けていたのです。それはなぜ彼等は美しいのかという疑問でした。それがここに来て炎天下のシャーベットのように解けて流れました。全ての根源は「作法」にあったのです。彼等の動きの美しいのも韓式礼法を小さい頃から学んでいるからです。例えば私、こうやって煙草を吸います。（Cは胸元から細身のメンソール煙草を取り出し火を点けた）このとき私の向かいが院長先生のような目上の方である場合は、最初から吸うのを諦めます。どうしても吸いたいときにはこうやって（C、Dに対して顔を直角にひねる。煙を吐く）こうして目上の方に煙が当たらないように注意する訳です。全てが年上の方に対する礼儀で成り立っているのです。根本には儒教の教えがあります。哲学が生活習慣にまで美しく昇華した例。これが韓式礼法なのです。

D　よく解りました。目をつむって下さい。今あなたの目の前に大きく澄んだプールがあります。あなたはそれに飛び込みます。飛び込むたびにあなたは三つ若くなります。それまでの嫌なこと、辛かったこと、悔しかったことは全て忘れ去っていきます。さぁ飛び込みましょう。そのまま飲んでもかまわないくらいの美しい水です。

C　さぁもう上がって来て下さい。あなたは今幾つですか。
D　二十七歳です。
C　何をしていますか。
D　ソウルの雑踏の中を歩いています。
C　嫌なこと辛いことはありませんか。
D　全くありません。とても自由で満ち足りた気分です。
C　さあ、又飛び込みましょう。
D　はい、飛び込みました。
C　さあ、又上がって来て下さい。あなたは今幾つですか。
D　二十四歳です。
C　どこにいて何をしていますか。
D　韓国のお寺にいて礼法の修業をしています。
C　それは辛い思い出ですか。
D　いいえ少しも。充実しています。ただ……。
C　ただ何ですか。
D　ただこの韓国の礼儀作法には、男尊女卑の傾向が本質的にあるものですから、そこを変えれば、日本でも通用すると考えています。

D　解りました。全て忘れて下さい。忘れましたか。いいですね。ではもう一度飛び込みましょう。さあ飛び込んだ。冷たい水の上にあなたはゆらゆらと浮いています。この水は特殊な水です。今迄の嫌なこと辛いこと、理不尽なことに対する怒りそれらを全て流し出してしまいます。さあ、上がって来て下さい。あなたは今幾つですか。

C　二十一です。

D　どこで何をしていますか。

C　オフィスでコンピュータを使っています。そこに課長がやって来て「龍ちゃん、今晩フグどうや。その後カラオケでも行ってそれから泊りはヒルトンや。なぁ龍ちゃん」。

D　あなたは何と答えましたか。

C　そういう楽しいことは奥様となさってはいかがですか。

D　相手はどう答えましたか。

C　ケッ、つまらん女やで、と。セクハラのひどい会社で私は三年間それを我慢していたのです。私は小、中、高と韓国人差別に耐えて来ました。そしてやっと風通しのいい社会に出られたと喜んだのも束の間で、そこはセクハラ会社でした。「おはようございます」を言う前に「龍ちゃん昨日何回セックスした」と言われるような、そんなところでした。私は社会とはそういうものだと思ってしまったのです。お尻をさわられるのにも慣れました。外面だけはジェントルで、応接室のコーヒーを下げに来た女の子のお尻をさわっている。そんな奴ばっかり。私が新天地を目指すのは当然のことでした。

〔所見〕
龍善寺静の入所願いには病名として「男性恐怖症」が挙げられていた。これは成長期に於ける韓国人差別、その差別の主体がいつも男性であったこと並びに入社した会社のセクハラが激しかったこと等によると思われる。
七月十四日十一時　十歳児にリセット。

診察室の前にはクライアント達が群らがっていた。皆自分が何をされるのか心配で仕方がないのだ。

「ね、ね、ね。痛かった。痛〜いってこととか、ぶるぶるぶるって気持ち悪いこととかされなかった」

ＥＭＩが静に擦り寄るようにして尋ねた。

「ぜーんぜん」

と静が答えた。

「ただね、ここに入るとプールに入れるよ」

その静の様子をじっと観察していた藤堂が、

「静さん、何だか様子がおかしくない」

「え。わたしが？　ぜーんぜん」

「で、何なんですか、そのプールっていうのは」

静はにっこり微笑んで答えた。

「プール？　きおくのプールよ」

「記憶のプール」

そこへ井出ちゃんがカルテを手に診察室から出て来た。

「次のクライアントはＥＭＩちゃんね。診察室へどうぞ」

診察室へ入ったＥＭＩはいきなり猛然たる勢いで服を脱ぎ始めた。井出が気が付いたときにはほとんど裸になっていた。

「あらＥＭＩちゃん。服はいいのよ、脱がなくって」

「あら嫌だ。あたし覚悟を決めて来たのに、なぁ〜んだつまらない。でも、全国三百万のあたしのファンがあたしのこんな姿を見たら涎をこぼすでしょうね。そうだ今度はヌード写真集を出そう。あたしどうせ落ち目なんだし。あっははははは」

服を着たＥＭＩは院長の前に座らされた。

〈FILE No. 0116〉ＥＭＩ

Ｄ　ＥＭＩちゃん、元気だねえ。勢い余って脱いじゃったんだね。
Ｃ　院長先生見てらしたんですか。
Ｄ　いや。背中に目はないからね。
Ｃ　あらもったいない。何でしたら今からもう一度脱ぎましょうか。
Ｄ　いや、そこまでしてくれなくても。
Ｃ　あたしって変わったパンツはいてるんですよ。
Ｄ　ああそうなの、ところでここだけの話だが私は君のファンなんだよ。
Ｃ　え、ホントに。
Ｄ　君が十五でデビューしたとき以来のファンなんだ。君の歌なら全部空《そら》で歌えるよ。
Ｃ　え、ホントに。じゃあ『帚にまたがって』いってみよう。ア・ワン・トゥ・スリー・フォー、はい。

♫ほうきにまたがって
　飛んできたい　あいつの部屋

ほうきにまたがって
アイム・ア・ウィッチ・オブ・ラブ
あいつの窓へ♪

C　すごい。ハモリまでばっちしじゃない。先生やっぱりあたし脱ごうか。
D　いやそれはもういいんだ。じゃあＥＭＩちゃんお礼に注射を一本打ってあげよう。
C　やだー。何それ。解った。先生サディストなんでしょう。美少女に注射を打っては喜んでいるんだわ。それに何よその注射の中身。そうだきっとカイシュン剤が入っているんだわ。
D　おいおい、私が君に回春剤を打ってどうするんだ。いいから腕を出しなさい。
　これがアミタールというものだ。二、三分すればもう効いてくるよ。それまで少しお話でもしよう。ＥＭＩちゃん最近コンサートのドタキャンが続いているようだね。いやそのことをどうこう言おうというんじゃないんだ。ただどういう気分のときにドタキャンをするんだい。
C　そうねえ。例えば事務所が仕事を詰め込みすぎていて、きちんとしたリハーサルの時間が全然とれていない、そんなときにマンションでビールを飲んでいると、どんどん気分が悪くなって来る。あたし一人ががむしゃらに練習しても、それは意味がないのよ。やっぱりバンドと一緒でなければ。そのリハーサルにしても四時間のリハーサルを三日間続ける方が、特訓で一日十二時間やるよりもずっといいの。そんなこんなでリハーサルができていないとき、マンションの部屋でじっとしているとだんだん憂うつがひどくなってくる。今日のステージの入り時間は昼の一時になっている。そんなに早いのは逆リハをするからよ。

D　逆リハ？

C　例えばＡＢＣという順番で本番があるときにはＣＢＡの順でリハーサルをする。そうすればＡのバンドはセッティングをしっぱなしでステージに臨《のぞ》めるわけよ。

D　なるほど。

C　その日朝起きるでしょ。最悪の気分なのよ。あたしは生理痛がひどいからね。その時はまだコンサートに行く気なのよ。しばらくして時計を見ると一時になっている。ああ、逆リハが始まっている。二時。逆リハが終わった。ホールではうちのスタッフたちがおろおろしているだろう。あたしのマンションに車を飛ばすように指示している声が聞こえる。でもそうじゃない。あたしのマンションは代官山にある。でもあたしが今いるマンションはあたしが個人で中野に借りた２ＤＫのマンション。作詞や作曲をしたりするために秘密で借りたものだ。もちろんマネージャーも電話番号さえ知らない。四時になった。あっちこっち探しまわるスタッフ達の声が聞こえる。やがて六時になった。今ならまだ本番に間に合う。でもそこで演奏されるひどい音楽を考えると、どうしても行く気がしない。恥をかきに行くようなものだから。おまけにあたしは全十五曲のうちの三曲の歌詞を覚えていない。そうだスピードをやってみよう。あたしはアルミホイルの上に置いたスピードを下から焙《あぶ》って出てくる煙を吸う。スピードはすぐに効いてくる。あたしにスピードは勇気をくれた。但しそれはドタキャンする勇気だった。こんな調子でいつもドタキャンしているんです。先生。

D　なるほど。そうやってスピードを日常的に使っていて何か幻覚のようなものを感じることはないかね。

C　キャプテン・ドゴマゴのことですか。

D　え、何だって、ドゴ……。

C　キャプテン・ドゴマゴのことでしょう。何も音のない空間にいるときに、ドゴマゴは音楽を送ってくれます。でも時にはドゴマゴは大声で怒鳴り散らしたりします。音楽でいえばディストーションのかかったようなものすごい声です。

D　そんなとき君はどうするのかね。

C　またスピードをやります。

D　私には、ことに君のファンである私には言うべき言葉がないね。

C　すみません院長先生。
D　私に謝ったって仕方がない。君が痛めつけている自分自身に対して謝りなさい。
C　はい。
D　そろそろアミタールが効いてきたようだね。
C　これがアミタールの効き目なんですか。
D　そうだ。人からの暗示にかかりやすくなる。じゃあＥＭＩちゃん。目をつむってごらん。目の前に大きなプールがあるだろう。
C　これか。
D　何だね。
C　いえ、何でもありません。
D　目の前に見えるだろう。澄みきって美しい水を湛えたプールが。ようく見てごらん。
C　あ、何だか。
D　ほらほら見えて来ただろう。きれいなプールが。
C　見えるような気がします。
D　気がしますじゃなくて。
C　あ、解った。あたし達は今そのプールの横に立っているんですね。

D　よかったよかった。このプールが見えるということは、君が私に対して心を開いた、その証《あかし》だからね。さて昔のことを思い出してもらおう。君は今十五歳だ。そのとき君はどこにいて何をしていた。
C　……………。家の中で戦争をしていました。
D　家の中で戦争。それはどういうことかね。
C　父親を家から追い出すための戦いです。敵軍は父親一人、味方の軍隊はあたしと母親と弟、この三人です。
D　そこに至るまでには色んな葛藤があったんだろうね。
C　そうですね。父親は家にはお金を一銭も入れず、全部パチンコに費やしていました。母親は駅の近くでタコヤキの屋台を置いて、何とか子供たちの学費を稼ごうとしていました。だからその頃のあたしの家の晩ご飯は、ご飯とタコヤキとお味噌汁、そんなことがしょっちゅうありました。そしてある夜あの男がやって来たのです。母親はタコヤキ屋に行っており、弟は夕刊の配達に行っていました。まずいことにあたし一人だったのです。父親は酔っていました。にたにた笑いながら「おお歌江ちゃんか、一人か」そしてそのへんの書類等を物色しながら「お母ちゃん最近タコヤキ屋でえらい儲けているらしいな。あの売れ行きやと一晩三万は固いと友達が言うとった」そして箪笥《たんす》を開けて中の服を取り出しました。「なあ歌江ちゃん、お前お母ちゃんのお金、どこに置いてあるか知らんか。お父さんちょっとお金に困ってるんや。十万でも二十万でもええんやけどな。そやないとまたおれが簞笥の中の売りとうもない服を売らんならん」そのとき、キッと自転車の音がして弟が新聞配達から帰って来ました。あたしは玄関に出て小さな声で言いました。「しっ、お父さんが来てる」弟は解ったと言うと自転車で駅の方を目掛けて走り出しました。それからあたしは恐る恐る部屋に戻りました。四畳半の間で父親が味醂《みりん》を飲んでいました。父親はあたしの方を見ると、でへへと笑い「まったく、酸《す》い酒の二合や三合置いといたらええのに、気の利かんおばはんやで。イボイノシシみたいな面《つら》しやがって、なあ歌江ちゃん。その点歌江ちゃんはきれなったなあ。どうや学校は楽しいか。ボーイフレンドとかいっぱいおるんか。何、おらん。見る目のない奴ばっかりやなあ。お父ちゃんやったら」そう言うと父親はじりじりとにじり寄って来ました。あたしは体が硬直して動くことはおろか声すらも出ませんでした。「犯される。実の父親に犯される」そう考えたとき、あたしの中で全てが弾け飛びました。父親の手があたしのスカートをたくし上げました。そこからは自分で見ても痛いくらいに白い足が覗いていました。

父親があたしのパンティーに手をかけた。それでもあたしは硬直がとけず、身動きひとつできませんでした。そんな自分に腹が立って口の中でぎりぎりと歯ぎしりをしていました。

そのとき母親が血相を変えて帰って来ました。右手にはタコヤキをひっくり返すのに使う千枚通しを握りしめていました。

「あんたは血を分けた実の娘にまで手をかけるのか」

そう言うと母親は父親の脇腹を千枚通しでぶつっぶつっと二回刺しました。父親は、

「ひえーっ」

と、情けない声を上げて三和土《たたき》のところに落ちました。

「何するんや、われ。血が出てるやないか」

「今度うちの敷居をまたいだら、タコヤキを焼くあのぶっとい鉄板で頭ぶっ飛ばしてやるからね」

父親は家から出て行きながら、

「この家には人殺しがおるぞ」

と、何回か叫んで去っていきました。

D　大変な目に遭ったんだね。

C　はい。こんなこともあってあたしは家のことを真剣に考えました。弟はああやって新聞配達をしてくれている。母親は駅前でタコヤキを焼いている。でもタコヤキ

は残念ながら、そう大したお金にはならないんです。雨が降れば屋台は出せません。ヤクザにもいくらかのお金を渡さねばなりません。ここはやはりあたしが稼がなければならない。あたしはオーディションの専門誌を読んで、可能な限りのオーディションを受けることにしました。歌手とタレントがあたしの狙いでした。もしこのオーディションに全て落ちたら、その時は風俗の世界に身を投じよう。あたしは本気でした。しかし現実というのはそう甘くはない。三十いくつのオーディションを受けて全てペケでした。風俗に行く覚悟を決めて受けた最後のオーディション。オーディション・ルームに入ると、怖《こわ》い顔をした社長がじっとあたしの方を眺めて尋ねました。

「君はこの特技のところに作詞作曲と書いてあるが、一つ聴かせてくれんか」

あたしはびっくりして、

「え、バンドもなしに歌うんですか」

社長は机をドンと叩いて、

「バカモン。こういうときはギターの一丁や二丁持って来んか。よし、アカペラでいいから一曲歌ってみろ」

あたしは『帚にまたがって』をアカペラで歌いました。

「君は今十五だな」

「はい」

「この歳にしては出せないポップなものが詞と曲の中にある。こんなのが何曲くらいあるんだ」

「はい、三十曲くらいです」

「そうか、よし。明日からうちの事務所の便所掃除でもするんだな」

「はい、力一杯磨きます」

あとは先生のご存知の通りです。

D　そうか、じゃあ十二歳のときは省いて、一気に十歳に飛ぼう。君の家にやっかいな父親がいてみんなは迷惑している。父親が金をギャンブルに使ってしまうので、家には金がない。しかしね歌江ちゃん。前のきれいなプールを見てごらん。あのプールに入ったら君は嫌なことの全てを忘れることができる。ストレスは何もない。サラサラのきれいな十歳の女の子だ。さぁプールに飛び込んでごらん。

〈FILE No. 0114〉藤堂広志

D　君のライフスタイルについては以前聞かせてもらったことがある。何ともすさまじい勉強の明け暮れだね。

C　院長先生。僕なんかどこを切っても金太郎ですよ。

D　何だね、それは。
C　どこを切っても出てくるのは勉強、それしかないんですから。
D　君にとって例えば勉強以外に楽しみといったものはないのかね。
C　ありませんねぇ。ただこういうことは言えるかもしれません。例えば、イヌイットの話なんですが。
D　イヌイット？
C　彼等は食事をするのに食べ分けをします。一度の食事にアザラシとオットセイの生肉が出てきます。アザラシはおいしいけれどオットセイはまずい。ここで日本人と同じように食べ分けをするということが出てくるわけです。つまりおいしいアザラシだけを先に食べてしまって、オットセイは後からしぶしぶ食べる。或いはその逆。おいしいものを最後まで残しておいて、後でゆっくり食べる、もしくは均等に食べ分けていく。勉強にもこれがあてはまるのです。
D　ほう、勉強にかね。
C　そうです。僕の場合は国語がおいしいアザラシでした。物理・科学・数学等はあくまでデジタルな勉学です。一つの設問に対して二つの答えが出てくるということはあり得ません。これらの勉強は全てデジタルなのです。それに対して国語というのはアナログです。国語のテストにおいて百点ということはあり得ません。そんなところが僕の気を引くのです。まるで後ろ姿ばかりチャーミングで、顔を見せてくれない女の子のように。だから僕は一日のローテイションのなかで、国語を最後に持っていくようにしていました。

D　そんな考え方は初めて聞いた。なかなか変態的だね。

C　そうでしょう（笑い）。

D　そうして君は目指す東大に見事合格した訳だが、どうだろう。目的となるものを手に入れてしまったことによる喪失感のようなものはないのだろうか。

C　とんでもない。弁護士になる国家試験の下準備をしています。これがなかなかエキサイティングでほとんどサディズムとしか言えないような試験です。これに向けて勉強していると胸がどきどきする。

D　君にとっては勉強というのは一種のゲームなんだね。

C　ゲームです。ですが敗れたときのデメリットも測り知れず大きい、そんな危険なゲームです。

D　そういうゲーム好きなところからコンピュータゲームにもはまってしまったんだな。

C　はまったというか、何というか。あれは実際に膨大な量の時間を喰うんです。僕のカリキュラムの中にそれを入れると肝心の勉強の方がダメージを負ってしまう。

それが今のところの僕の悩みです。

D　ほぅ、君にも悩みなんてものがあるんだ（笑い）。じゃあそろそろアミタールを投与しようかな。これがアミタールだ。

C　注射なんですね。きれいな色をしている。

D　こうしてゴムのチューブで君の腕の少し上を縛る。親指を中にして拳をぎゅっと握ってくれたまえ。ほら静脈が浮いてきたぞ。真っ白な腕に血管が浮いて出て、注射針が滑り込むのを待っている。何ともエロティックな光景だ。ふふふふふ。

C　先生、大丈夫なんですか。

D　私はかつて一度も大丈夫だったことはない。さぁ刺すぞ、藤堂君。チクッとするよ。

C　チクッとしました。

D　効いてくるまでに二分程かかる。しかし君の場合は本当にどこを切っても金太郎だろうな。

C　僕は催眠術にはかかりやすい人間だと思いますよ。入力されてくる情報をそのまま取り込んで、外に出すということがありませんから。どんなデータも受け入れてしまう。

D　そしたら何か、君には前にある美しい水をたたえたプールが見えるかね。

C　やぁ、きれいなプールだなぁ。でもね院長先生。僕は泳げないんですよ。勉強ばっかりしていたから。
D　何、そんな心配をすることはない。それは実体ではなく仮想のプールなんだから。君は今初めて泳ぐということを知るんだ。さぁ、プールに入ってみたまえ。
C　やぁ、これは空を飛んでいるみたいだ。冷たくてとても気持ちがいい。

〔所見〕
このあと二回にわたってプールによる若返り法を試みるも、藤堂広志はまさにどこを切っても金太郎であった。どの年代においても「勉強」が詰まっていた。私は念のために十歳からもっと先まで遡ってみた。クライアントの勉強の歴史は、二歳から始まっていた。有名幼稚園に入園するための塾が彼の勉強の始まりであった。十歳に彼を固定する。物識りでシャイな少年。それが十歳の藤堂の印象であった。
七月十四日十三時。十歳児にリセット。

藤堂が診察室から出てくると、クライアント達がわっと押しかけた。

「ちゅうしゃ、いたかった？」

と、静。

「プールにはいったの？」

とＥＭＩ。藤堂が答えた。

「うん、はいったよ。とってもきもちがよかった」

三友が彼等を見て苦々しげに言った。

「ふん、紅毛《こうもう》のあやかしの術にたぶらかされおって。我々はそんなものには金輪際引っかからんからな。な、柿沼」

柿沼は緊張した面持ちで答えた。

「はい。武術とか、格闘技とか、ああいう類《たぐい》のものでしたら、私いささか自信があるのですが、催眠術とかああいう実体のないものには余り自信が持てません」

「そんな弱気なことでどうする。根性見せたれよ、根性」

クライアント達がわいわい騒いでいると、診察室のドアが開いて院長が異様な姿で現われた。全身をウェットスーツで包んでいる。足の先にはフィン（ヒレ）、腰には金属のウェイトを付け背中にはボンベをしょっている。ボンベからは管が伸びて院長の口元で、レギュレイターとなって啣《くわ》えられている。完璧なスキューバダイビングの出で立ちであった。

皆が驚いた。院長は誇らしげに一回りして見せると、

「どうだ、かっこいいだろう。今からちょっと海へ行ってくる」

三友が、

「おいおい、わしらの診察はどうなっとるんだ」

院長は笑って、

「この診察はね、クライアントのストレスの塊のようなものを私自身が受けてしまうことがよくあるのです。だからそういうときは無理をせずにドクターも休まないといけないんです。私にとって休みとは海に入って魚たちを眺めることです。海の中は別世界ですよ。それに食材の宝庫でもある。という訳で一石二鳥のスキューバダイビングですので、ここはひとつ大目に見ていただきたい」

院長はフィンでずりっずりっと音を立てながら正面玄関から出て行った。やがてサンドバイクの軽快なエンジン音が響き、院長は海へと去って行った。

診察室前では相変わらずおしゃべりが続いていた。ところが奇妙なことにこの集団は二つに分かれていた。アミタール面接で既に十歳のこどもに戻ってしまった静、EMI、藤堂。これに対してまだ面接を受けていない柿沼、三友の一派。ことに三友は面白くないようであった。

そのとき井出ちゃんがやって来た。

「遅くなりましたけれど昼食ができました。今日はタラコスパゲッティーですよ」

〝こどもたち〟は、

「わーいわーい」

と喜びの声をあげて食堂に向かって走り出した。三友はそれを見て苦々しげに言った。

「あんな細うどんのようなもののどこがうれしい。それにタラコを混ぜるとはどういう了見だ。タラコなんていうものは、熱い熱い飯と合わせて喰うのが一番なのだ。それを何が悲しゅうて細うどんの上にのっかったようなものを喰わんといかんのだ。そうだろ、柿沼」

「そうですね。でも社長、早く食堂に行かないと、麺が伸びてしまいますよ」

「おお、あのアルデンテの数分間を逃すところだった」

「何だ社長。結構わかってるんじゃないですか」

「行くぞ柿沼」

二人は食堂へと走るように進んだ。

食堂に入ると井出ちゃんが二皿のスパゲッティーを運んで来てくれた。三友は井出ちゃんをねっとりと睨みあげると、

「ねぇちゃん、箸くれへんか」

と言った。やがて届けられた箸を使って三友は、〝ピチャピチャ、ズルズル、ニチョニチョ〟と、壮絶な音をたてて「細うどん」を食べた。

食堂はいつの間にかシーンとして、聞こえるのは三友の細うどんを喰う激しい音だけとなった。三友はまわりのそんな気配をさすがに察知して箸を置くと言った。

「おいおい、お前等どうしたんだ。わしの顔に細うどんの一筋でも付いているのか。最近ではフォークにスプーンを添えて喰う方法が大半だが、あれも大間違いであのスプーンを使うのはイタリアの幼児の食べ方なのだ。他にも色々あるのだがわしは飯に専念する。柿沼、後は頼んだぞ」

柿沼はシャキッと立ち上がると、

「大体この麵というのはマルコ・ポーロが中国からヨーロッパへ持ち込んだものです。ヨーロッパには箸がありませんから、当時の民衆はスパゲッティーをこうして食べていた」

柿沼は実演して見せた。スパゲッティーを右手でつまむと頭の上高く持って行き、それを口の中に垂らすようにして啜《すす》り込み、食べた。

「きゃぁ、カッチョワルー」

とEMIが笑った。三友は、

「だから飯なんてものはどういうふうに喰おうが、構わないのだ。お前等がどう思うか知らないが、わしはわしのやり方で喰わしてもらう」

そう言うと三友は激しい勢いでスパゲッティーを啜り上げた。そしていつもの習慣で柿沼の皿から麺とキノコを半分奪い取った。

水深五メートルの所に院長はいた。海の中ではこの辺りが一番美しい所だ。太陽の光が充分にさし込んで極彩色の風景を提供してくれる。少し先にはグランドキャニオンに水を張った、そんな風景が見られる。しかし今日は院長の所存としてはあまり遠くまで行かないつもりでいる。上を見上げるとルリスズメの大群がキラキラと輝きながら進んでいる。その何メートルか下にはカタクチイワシのこれ又巨大な群れが反転したところだ。

「イワシでいこうかなぁ」

院長は水中銃と網を持って来ていた。この網をイワシの群れに投げればおそらく一度に百匹は捕れるだろう。しかしそれでは余りにイージーではないか。院長はもう五メートルの深さ迄潜ってみることにした。太陽の光が遠ざかる分、周囲の光景は暗くなってくる。院長は拳大のサザエを一つ見つけた。一つあるということは周りに幾つもあるということだ。推測通り巨大な岩の周辺で幾つものサザエを見つけた。食べる数だけこてで採る。七つだ。

それからしばらく水中散歩を楽しんでいると、目の前にいきなり巨怪な魚が現われた。

「ハタだ」
五十センチはあるその大きな魚は、捕ってくださいといわんばかりに院長に近づいて来た。

〈FILE No. 0113〉柿沼三郎

D 随分殴られるんですか。
C まぁ一日七回くらいでしょうか。
D 痛いでしょう。
C いえ。院長先生の思われている程痛くはない。大体音の出るパンチというのはさほど痛くはないものです。まともに入りそうなのが偶然来たらスウェイして逃げます。それよりあのきれいなプールには入れないのですか。
D いえいえ、いつでもお好きな時に入っていただいて構わないのですよ。
C あれに入ると何が起こるのですか。
D あなたが三十九歳の時に戻ります。色々なストレスや、屈辱感、そうしたものをみんな忘れてしまいます。そして今度は三十六歳のあなたへと戻って行きます。これのくり返しです。
C 三十九歳の一番印象的だったことを挙げればいいんですね。

D　そうです。

C　あれは丁度今くらいの季節でした。新聞社の方が何人か社長の取材に来られました。経営トピックスみたいなコラムでした。室内写真は撮り終えて青空の下、腕組みをしている社長を撮ろうという運びになりました。ところでうちの本社というのがかなり古い建物で、上りがまちのところで靴とスリッパを履き替えるシステムになっています。社長はその日取材があるというので買っておいた一番上等の靴を持って来ていました。ところがこれがなかなか入らない。私がそばにしゃがんで手伝いをするのですが、もともと小さすぎるのか、社長の足がむくんでいるのか、どうにもうまく行きません。そのうち社長がキレました。その怒りは私に向けられました。社長は靴べらで私をピシピシと殴りました。

「え〜い、このバカモノが。靴べらの一つもよう使わんのか」

そして又私を思いきり殴るうちに靴べらが折れてしまった。これが社長と私二人だけであれば問題はないのです。だがそのときは新聞社の人達が心配気な顔をして私たちを見ているのです。

D　そのときはどういう気持ちでしたか。

C　それはもう情けないというか悔しいというか、恥ずかしいというか、一種独特の気持ちです。

D　それでもあなたが二十年にもわたって三友社長に仕えているのはなぜでしょう。
C　それはいわば一種の母性本能のようなものではないでしょうか。
D　母性本能。
C　私がいないとあの人はどうなってしまうかわからない。そんな気持ちにさせる何かがあの人にはあるのです。
D　わかるような気がします。ところでこれは柿沼さんと三友社長にだけお話ししておきたいのですが、今回のクライアントの中では柿沼さんと三友さんだけが同じ組織の人間です。身分にも大いに格差がある。これは治療の上で大きな弊害となるのです。ですからここにいる間は身分や歳の差を考えないでください。

問診概略

●クライアントは十一歳の時には「仮面ライダー」になりたいと思っていた。十二歳、雑誌『丸』を購読。そのころからモデルガン集めを始める。
●十四歳。『空手バカ一代』に出合う。自分の求めていたものはこれだ、と確信。極真会館の門を叩く。以降、格闘技のデラシネとなる。

〔所見〕

クライアントは典型的なディフェンスタイプ。自分を守る為に様々な格闘技を習得しているが、それは自身の中の本質的弱さをカヴァーする為のものである。本質的弱さをむきだしにしてでも真の闘いが望まれるし、それはやがて訪れるであろう。

別室で井出がスパゲッティーを食べていると、そこに院長がややふらつく足取りで入って来た。

「あら、いかがでした。スキューバの方は」

「ハタのいい形が捕れたよ」

「あら素敵。おいしいですものね、ハタは。身がキシキシして」

「サザエも採れた」

「今夜の山海地獄鍋が楽しみだわ」

「井出ちゃんは洞窟へは行ったの」

「いえ、アミタール面接で朝からてんやわんやだったものですから、あとで行こうと思っています」

「そうかい」

院長ははーっと深いため息をついた。井出は驚いて、

「どうなさったんですの、院長先生」

「アミタール面接の件なんだがね、やはり私はローテイションを間違えていた。一番最後に三友社長を持ってきたのは誤りだった」

「何かと思ったらそんなことですの」

「そんなことって井出ちゃん、こういうときにパワーとかスタミナとかが残っているかは重要なことだよ」

「お腹がすいていては勝てる試合も勝てませんわよ、はい、タラコスパゲッティー」

「ああ、すまんね」

院長は井出から皿を受け取ると、まだかすかに湯気を上げているスパゲッティーを静かに混ぜ合わせると食べ始めた。そして又井出ちゃんに話しかけた。

「いいかい井出ちゃん。三友社長は何歳だと思う」

井出は即座に答えた。

「六十五歳ですわ」

「そうだ。六十五歳から十歳を引いて三で割ると幾つになるね」

「約十八ですわ」

「そうだろう。私は今からきれいな水のプールに十八回付き合わんといかんのだよ」

「お察し申し上げます」

院長はスパゲッティーを半分残したまま、診察室へと向かった。

三友は先に来て座っていた。そして院長の顔を見ると、

「へっへっへっ」

と笑い、

「だんな、あっしは何にも吐きませんからね」

と言った。

院長は、

「三友さん、何か勘違いしてらっしゃるようですね。まずお話の前に注射を一本打たせてください」

と、アミタールの入った注射器を三友に見せた。

「ヘロインだな」

と三友が言った。

「冗談じゃありませんよ。そりゃあ末期癌の患者にモルヒネを使うことはありますが、たかが催眠術にモルヒネを使うなんて聞いたことがない」

三友は下から眺め上げるようにして院長を見た。

「しかし、あることはあるんだろう」

「え、何ですか」

「モルヒネだよ。モルヒネ」

「仮にあったとしても社長には絶対に見つけられないところにあるでしょうな。そんなことよりアミタールを打ちましょう。私がこの二の腕のところをギュッと縛りますから、社長は親指を中にしてギュッと拳を握ってください」

院長は三友の腕に少しずつアミタールを静注していった。三友は目をつむってうっとりとして言った。

「院長先生。わしらがガキの頃はな、ヒロポンを薬局で売っておったよ。それを注射するんだが、冬の寒い日などはコートを脱ぐのが寒くていかん。だからコートに切り口を入れて『窓』を作る。その窓を開けて注射器でプスッってなもんだ。わしにとってはいい時代だったな。働けば働くだけ儲かる。そのうち銭が銭を呼ぶようになってくる」

院長は注射針を抜くと言った。

「注射が終わりました」

注射針の後にガーゼをあて、テープで止めた。

「しばらく押さえておいてくださいね。二分くらいすれば効果が出て来ますから。それまでお話でもしていましょうか」

院長は三友を見ながら言った。

「社長は仕事以外に何か楽しみでもお持ちなのですか、例えばゴルフなんか」

三友は院長の顔をじっと見て言った。

「ゴルフ？　あんなものは馬鹿のやることだ。わしの楽しみといえば新聞の株式欄を見ることだけだ。三友グループの株が上がったり下がったりする。それを見るのだけが唯一の楽しみだ。ここ五年くらいの間にさらに企業を買収しようと考えとる。あっ、先生これは内緒だよ。わしの一言で株が上がったり下がったりするんだからな」

院長は笑って言った。

「誰にも言やぁしませんよ。私達医者には守秘義務というのがありましてね、めったなことではクライアントの言動をよそに漏らしたりしてはいかんのですよ。それに私は株には全く興味がないものでね」

「ふむ。欲のない男だ」

院長は壁の一角を指して言った。

「社長、目の前に美しいプールが見えませんか」

「何、プール。あんたの指の先は見えるがプールなんかは全く見えんぞ。うん。見えんといったら見えん」

「それはおかしいですね。他の人たちはみんな見えたんですがねぇ」

三友社長は胸をそらせて言った。

「他のものはどうだか知らんが、この三友には見えん。ないものが見えるはずはないではないか」

「どうしても見えませんか」

「ああ、どうしてもだ」

院長はうつむいてボソボソと呟いた。

「やっぱりあれは本当なのだなぁ」

「おい、何をぶつぶつ言っとるんだ」

「昔から言うものなぁ。催眠術は馬鹿と狂人にはかからないってなぁ」

一瞬の沈黙があった。そして三友社長は立ち上がると満面に笑みを浮かべて言った。

「やぁ、何て美しいプールなんだ」

そこから院長の長い診察が始まった。

二時間後、面接が終わった。これで五人のクライアント全員が十歳のこどもになった。


〈三〉

少し早い夕食が始まった。今日は山海地獄鍋の他に、一人宛一個のサザエが付いていた。醤油の焦げる香ばしい匂いが食卓に溢《あふ》れていた。

身肉の部分だけを食べている藤堂を見て、三友がせせら笑った。

「ばかだなぁ、藤堂くんは。いちばんおいしいところをたべずにすてている。サザエはね、このおくの、みどりいろをしたないぞうがおいしいんだよ」

「でもそれはおとなのおさけをのむ人がよろこぶところでしょう」

「いいからたべてごらんよ」

藤堂は奨《すす》められるままに緑色の内臓を口にした。途端に藤堂は顔を顰《しか》めた。

「うわっ、にがいや」

その様子を見て三友はゲラゲラと笑った。

「おとなにはおとなの、こどもにはこどものたべものがあるのさ」

「でも」

静が、

「うちのおじいちゃんはだいふくがだいすきだったのよ。おさけは一てきものまなかったわ」

三友がせせら笑って言った。

「ほんとか。マッコリとかジンローとか、がぶのみしていたんじゃないのか」

静の顔色が変わった。

「あなたはどうしてわたしがかんこく人だということをしっているの」

三友はへらへらと笑って、

「そんなもの〟かべに耳あり、クロード・チアリ〟さ」

「それならギターをひいてよ」

「ばかをいうなよ。わしはしょうがっこうでカスタネットをたたいたことがあるだけだ」

一同はわいわい言いながら香ばしく焼き上がったサザエを平らげた。そしていつもの山海地獄鍋に入る。柿沼が、

「わぁ、ずいぶんおおきなさかなだなぁ」

院長は得意満面になって、

「これはねハタという魚でね、大きくなれば二メートルくらいになる」

ＥＭＩが尋ねた。

「これ、いんちょうがさばいたんですか。ふつうのほうちょうではきれないでしょう」

「そうだよ。そのために私はこういう物を常備している」

院長はキッチンの端っこに行くと、何やら大きな物を持って来た。それは特大の包丁であった。刃渡り一メートルはあるだろう。

「これはね、マグロなんかの大きな魚を捌くときに使う物だ」

そして院長は包丁をキッチンに戻しに行った。

一同はてらりと光るハタの身肉にむさぼりついた。ハタの肉はきしきしとした感触で、適度の脂がのっていた。そしてその内臓の部分はぬったりと口の中に貼り付いて、まるで媚びているようであった。頭と骨からは重厚な出汁《だし》が出て、鍋の全体に独特の旨みを醸《かも》し出していた。一同は夢中になって食べている。三友は例によって、柿沼の鍋から三分の一程度を略奪した。

食事はいつもより早く終わった。

院長はそんな様子を注意するでもなく、にこにこと笑って見ていた。そして立ち上がると島の例の規則について話し始めた。

「朝にも言ったことだが、この島の規則についてもう一度言っておく。一、島の中央の洞窟には決して入らないこと。二、灯台には決して行かないこと。そして三、これは初めて聞く子もいるだろうが、この島においては一般社会の上下関係を決して持ち込まないこと。まず一だが、島の中央の洞窟は恐ろしいところだ。もとワンダーフォーゲル部の井出ちゃんが一度挑戦した。しかし洞窟の中は複雑な迷路のようになっていて、かなり長いロープを持って行っても迷う程だ。おまけにあちこちに鋭い縦穴が口を開けている。測ったところ十メートルから二十メートル以上の深さに及ぶ縦穴だ。一度大学の測量隊が調べに来たことがある。しかしお手上げだった。我々はあそこを

『悪魔の洞窟』と呼んでいる。

次に灯台の方だが、今迄に三回トラブルがあった。我々は灯台の中を見るというようなチャンスに、なかなか巡り合うことはない。そこでクライアントが三人で灯台見物に出かけた。十年前のことだ。その時灯台は幸か不幸か無人の状態だった。光源の調節は岡山県にある無線局から送られていた。クライアント達は喜んで灯台の中の機器をいじりまわした揚句《あげく》、とうとうメインのスウィッチを切ってしまった。光を失った灯台のせいで飛行機の航路に混乱が起こった。もう少しで小型飛行機が灯台に突っ込むところだった。

そしてあるときは酒を飲んで酔っぱらったクライアントの一人が、灯台の頂上に登ってそこにいた職員と殴り合いの大喧嘩になった。これもやはり機器をさわらせろ、さわらせないの幼稚なものだった。ね、だから悪いのはみんなこちらの方なんだよ。そういうことが二度と起きないようにみんなで気を付けようね。

三つ目のルールは特殊なもので、この中では三友さんと柿沼さんにしか当てはまらないと思う。つまり社会の中での地位をそのままＭＭＭに持ち込まれては困るのだ。みんなが同じスタートラインに立って、ストレスを克服するのがこの療法の特徴だからね」

一同が頷いた。

「さて、ここらでみんなにニックネームを付けようか」

「ニックネーム？」

三友が不満そうに言った。

「この三友という名は、おやからうけついだだいじななまえで三菱と住友をいっしょにしためでたいなまえなんだ。それをなにがかなしゅうて〝チャッピー〟とか〝ハリー〟とか、くだらんなまえとこうかんせんといかんのだ」

院長が、

「何もチャッピーなんて名前にしようとは言っていませんよ。例えばここにいる藤堂君。ひびきが堅いですよね。だから〝とっちゃん〟ってのはどうでしょうか」

「え〜、ぼくがとっちゃん」

「そうです。そしてとなりにいる柿沼君は〝かっちゃん〟」

「かっちゃん」

院長が、

「それじゃあ、かっちゃんは三友君のことを何て呼ぶのかな」

かっちゃんは暫《しば》し戸惑っていたが、やがて腹を決めて、

「みっちゃん」

「なに〜、わしがみっちゃんだとぉ、わしのどこをとってみっちゃんと」

一同が歌い出した。

「♫みっちゃん　みちみちウンコして
　紙がないから　手でふいて
　　もったいないから　食べちゃった♪」

みっちゃんの肩がぷるぷる震え出した。

「おまえらわしにそんななまえをつけといて、あとでこうかいするなよ」

ＥＭＩが、

「なによ、せっかくなかまに入れてあげようとしているのに」

とっちゃんが、

「そんなことより、おふろのじかんだよ。おふろに入ろうよ」

かっちゃんが、

「そういえばこの島のおふろに入ったことがまだないものね」

静が、

「ジャクジーとか、サウナとかいっぱいあるのよ」

みっちゃんが言った。

「それはなんだろうな。もちろんこんよくなんだろうな」

「キャァー、みっちゃんやらしー」

女子達の黄色い声が飛んだ。静がその名の通りＥＭＩに静かに言った。

「こんな人たちほっといて、ふたりでまたみせあいしましょうよ」

「みせあいって、なにをみせるの」

「そりゃあ、おっぱいとか、おしりとかよ」

「〝ごくん〟」

と、唾を呑み込む音がした。みんながみっちゃんの方を見た。

「わしじゃないよ。あんなげひんなおとをだすのはかっちゃんにきまってるじゃないか。おい、かっちゃん。おんなのこたちにどげざしてあやまれ」

「うん、わかったよ」

かっちゃんは土下座して女の子たちに謝った。

「あらいいのよ、かっちゃん」

「かっちゃんはわるくないんだから」

立ち上がったかっちゃんにみっちゃんがすーっと寄って来て小声で言った。

「おい、なにいろだった」

「えっ、なんのこと」

「パンツのいろだよ」

「いろって」

「どげざしたときにみえただろう。パンツが」

「そんなものみてないよ」

みっちゃんはチッと舌打ちしてかっちゃんの頭をはたいた。

「わしがいっつもいっているだろう。ころんでも、すなをつかんでたちあがれってな」

かっちゃんは、ははーっと頭を下げて恐縮した。

ＥＭＩが静に言った。

「こんなひとたちはほっといて、はやくおふろへいきましょうよ」

広大な風呂であった。普通の市民プールくらいの大きさであった。そこから柔らかな湯気がほんのりと立ち昇っていた。静は掛かり湯をすると音もなく風呂に滑り込んだ。その後を追うようにＥＭＩが、

「キャッホー」

と叫んで飛び込んで来た。静はＥＭＩのせいで浴びた湯の飛沫をタオルで拭うと苦笑して言った。

「ＥＭＩちゃんたら、だめじゃないの。かかりゆもしないでいきなりとびこんじゃあ」

ＥＭＩは少し膨れて、

「じゃあほかの人はどうしてるの」

「それはまず、おけのおゆでだいじなところをあらって、それからはいるのよ」

「ふ〜ん、しらなかった」

それからＥＭＩは静の方を見て、目を丸くした。

「どうしたのＥＭＩちゃん」

「静ちゃんって、すっごいボイン」

静は笑った。

「こんなのふつうじゃない。Ａカップよ」

「静ちゃんって、もうブラジャーつけてるんだ」

「へん？」

「へんじゃないけど」

「そういうＥＭＩちゃんだって、わたしよりおっきいじゃない」

「そんなこと」

と言ってＥＭＩは自分の乳房を見て驚いた。

「なにこれ。あたしたち十さいなのよ」

そこへ隣りの浴室にどやどやと男子たちの入って来る音が聞こえた。一番大きな塩辛声はみっちゃんらしかった。男子たちは掛かり湯もせずにざぶざぶと浴槽に飛び込んだ。

「おいかっちゃん。とっちゃんも見てみろよ。このよくそうの上のしきりは三十センチくらいあいているぞ。だれかがかたぐるまをすれば、おんなゆがまるみえになるぞ。よしかっちゃん、わしの馬になれ。とっちゃんはかっちゃんのこしをしっかりささえていろ。じゃあいくぞ」

かっちゃんがみっちゃんを肩車した。とっちゃんはそのかっちゃんの腰を支えた。かっちゃんは首筋にみっちゃんのあれがぺたぺた当たるので、随分と気持ち悪かったがここは一番我慢した。覗き込んだみっちゃんの目に二人の女の子のヌードが湯気越しにぼんやりと見えた。

見るか見ないかのうちにみっちゃんとＥＭＩの目が合った。

「きゃあー、のぞきまよーっ」

その一言で男子側のスクラムが崩れ、三人ともタイルの上に転げ落ちた。

ロビーのソファの上でみっちゃんがうんうん唸っていた。その腰をかっちゃんが懸命に揉んでいる。ソファの片側にはＥＭＩ、静、とっちゃんが座っていて面白そうにこの光景を眺めている。ＥＭＩが、

「まったく、なにかんがえてんだか」

静が、

「さんこのれいをもってたのんでくれれば、見せてあげないこともないのにね」

ＥＭＩは驚いて、

「なに、静ちゃん。そのさんこのれいって」

「なんだかしらないけど、よくいうじゃない」

「いわないわよ」

「でもまったく、おふろもゆっくりはいっていられないわね」

ＥＭＩが、

「なにかもっとしずかなあそびはないかしら」

静はポシェットからカードの束を取り出した。

「なにそれ。トランプじゃないわね」

「タロット・カードよ。すべてのうんめいはこのタロット・カードでわかるのよ」

「わー、おもしろそう。やろうやろう」

静は何度かタロット・カードを繰ってテーブルの上に並べた。そのカードの配列をざっと見渡した静の頰が、見る見るうちに真っ青になった。

「静ちゃんどうしたの」

とEMIが静の肩をゆすった。

はっと我に返った静は、あわててタロット・カードを繰り直すと、自分のポシェットにしまい込んだ。

とっちゃんが笑って言った。

「どうしたの。なにかよっぽどわるいけでもでたんですか」

静は少しあわて気味に、

「ちがうわ。そんなことないの。ただわたし、しんまいなもので」

七月十五日　静の日記
きのうはいろいろはじめてのことがおおかったのでとまどった。なかでも一ばんおどろいたのはしゅうしんじかんまえのタロットのけっかだった。あんなにきょうあくなカードはみたことがない。すべてが死のほうこうにむかっていた。でもまあわたしのさっかくだろう。気をしっかりもっていないとタロットごときにせいかつをまげられてしまうことになる。
今日はとてもいいおてんき。みんなとなにをしてあそぼうか。あら、きょうだいのまえになにかおいてある。ふくだ。白いブラウス、クリーム色のジャケット。茶色のプリーツのあるミニスカート。これがMMMのせいふくなのだろう。

クリーム色のジャケット、女子はプリーツのある茶色のミニスカート。男子はひざまである半ズボンといった制服を着たクライアントたち。彼らはさっきから何をして遊ぶかで揉めていた。

「ドッジボールがいい」

とEMIが言った。

「ぼくはコンピュータいがいは、いたってにがてなんですよ」

と、とっちゃん。かっちゃんが、

「ぼくはいたってとくいです」

「わしはしゅりゅうだんのめいしゅだった」

「いつのはなしをしているんです」

と静が言った。

「三たい二でドッジボールの勝ち」

とEMI。かっちゃんが本館の横にある物置き小屋から白線引きを探し出して来た。それでやや歪《いびつ》な四角形を駐車場の上に引いた。ボールはとっちゃんが井出ちゃんから借りてきた。

ドッジボールが始まった。全員長い間ドッジボールなどしたことがなかったので、血中にアドレナリンが湧くのを覚えた。かっちゃんは何度も静にボールを当てた。休憩時間がやってきたときに、みっちゃんがニタニタ笑いながらかっちゃんの方に寄って来た。

「かっちゃん、おまえ静のことがすきなんだろう」

かっちゃんは驚いて目を丸くしてみっちゃんの方を見た。

「そんなことないよ。どうしてそんなこというんだよ」

みっちゃんは相変わらずニタニタしながら、

「ドッジボールっていうのはな、かならずじぶんのすきな子をえらんであてるんだ。ドッジボールをすると、かならずそうなる。わしがさっきからみていると、おまえは静ばっかりねらってあてているじゃないか。すきなんだろ」

「え」

「すきなんだろうが。なんだったらわしがせわしてやろうか」

「なにをどうせわするんですか」

ドッジボールは、そんな調子で二時間程続いた。そして昼食の時間になった。

井出ちゃんが給仕をしてくれた皿にはナシゴレンが盛りつけられていた。

「やあ、ヤキメシだ」

と、みっちゃんが手を拍《たた》いた。井出ちゃんは微笑んで、

「うん。これはヤキメシだけど、インドネシアの『ナシゴレン』っていうヤキメシなのよ。上にヤキトリがのっているでしょう。『サテー』っていうのよ」

「まったく、手をかえしなをかえ」

とみっちゃんが言った。

口に含んだサテーは少し甘く、少し醤油系の味がした。

食事が終わると昼からの作戦会議である。

ＥＭＩは皆で歌を歌いたいと主張した。彼女はリビング・ルームにアップライトピアノがあるのを知っていたからである。

とっちゃんはファミコンでゲームをすると言って早々と自分の部屋へ行ってしまった。

静は亀島の丘の上で風景画を描きたいと言った。

結局のところ残されたのはみっちゃんとかっちゃん、二人だけになってしまう。これはかっちゃんにとって、精神衛生上はなはだよろしくないことであった。

かっちゃんはもう一度全員に招集をかけた。迷惑そうなＥＭＩ、静、とっちゃん。

「たのしいアイデアがうかんだんだ」

とかっちゃん。

「そのアイデアとは、みっちゃんからどうぞ」

みっちゃんは咳払いをしてからこう言った。

「それはな〝チャンバラごっこ〟だ」

全員が、

「ダサー」

「ふるくさぁ〜」

「カッコワルー」

と、次々と苦情を述べた。

みっちゃんはむっとして、

「チャンバラのどこがダサいんだ。なんにもしらないくせに。『名月赤城山』

「ダサー」

「『旗本退屈男』」

「ふるくさぁ〜」

「『関の弥太っぺ』」

「カッコワルー」

「なにをいう。チャンバラのなかにこそ、いまはうしなわれた日本人のたましいがあるのだ」

「くっさぁー」

とかっちゃんが言った。

「なんだと」

みっちゃんはかっちゃんをにらみつけた。かっちゃんは平伏して、

「あ、すみません。つい気がゆるんでいたものですから」

「まあ、一どだけのぶれいならばゆるしてもやろう」

と、みっちゃんが赦しを与えると、平伏しているかっちゃんがぷーと屁をこいた。

「おのれ、人をばかにしおって」

とみっちゃんがかっちゃんに襲いかかろうとするところを、とっちゃん、EMI、静が三人がかりで事を鎮《しず》めた。とっちゃんが言った。

「チャンバラ。いいじゃありませんか。ぼくたちチャンバラだいすきです」

静が、

「わたしたちもだいすき。だけどさあ、わたしおひめさまのやくでないといやだなあ」

続いてEMIが、

「あたしもおひめさまがいい。こしぼねとか、そんなのはいやよ」

とっちゃんが、

「あのう。それはこしもとでは？」

すったもんだの結果、昼からはチャンバラ遊びをすることになった。しかし男子の役割でもう一悶着《ひともんちゃく》あったのである。

だいたいが治まったところで突然とっちゃんから異議が出された。とっちゃんは小石を蹴って言った。

「チャンバラごっこもいいんだけどさぁ、なんか、いかにもって気がするんだよね」

「いかにもって、なんだよ」

とかっちゃんが訊いた。

「いかにもこどもでございっていう、なんかわざとらしい気がするんだ」

「じゃあ、とっちゃんはなにをしてあそびたいのさ」

「ぼくは」

とっちゃんは唾をごくっと呑んで唇をぷるぷるさせていたが、やがて思い切ったように言った。

「ぼくはキャバクラあそびがしてみたい」

ＥＭＩちゃんが目を丸くして言った。

「え～なに、キャバクラって」

「それは、だからつまりキャバレーだよ」

「それって、エッチなとこ」

「それは」

「エッチなとこよ、きっと」

静がＥＭＩに囁《ささや》いた。

「ふーん、エッチなとこなんだ」

「きっとエッチなとこよ」

エッチなとこ、エッチなとこ、ひそひそひそ。

「ぼくもよくしらないんだけど」

とっちゃんが叫んだ。

「いっかいいってみたかったんだよぉ」

みっちゃんがペシッと太腿を叩いて言った。

「よし。キャバクラあそびというのをやってみよう。しょうすうしゃのいけんはだいじにしよう。わしもけっしてほんいではないが、なんだそのセクハラ、え、ちがう。キャバクラあそびというのをやってみよう。いやあ、ひさしぶりやなぁ、神戸は」

「いきなりだなぁ」

と言いつつもかっちゃんがついていった。

「ほんま、しゃちょう。神戸のまちもかわりましたなぁ」

「そうやなぁ。しんさいからこっち、なんやふうぞくばっかりになってしもたなぁ」

とっちゃんが太鼓の桴《ばち》でアルミのお盆を思いっきり叩いて叫んだ。

「え〜らっしゃい、らっしゃい、らっしゃいらっしゃい。しゃちょう、いいこいますよ。うそだとおもったら、ちょっとよってってよ。え〜らっしゃい、らっしゃい、らっしゃい、らっしゃい」

「キャバクラですよ」

かっちゃんがみっちゃんに囁いた。

「しゃちょお、ちょっとひやかしていきますか」

「そうだな。おい、にいちゃん、しめいしたいんやけど、だれがええ」

とっちゃんは頭を掻いて笑った。

「いやぁ、しゃちょう。それはぼくの口からはいえませんので、お入りになって、ついかセットのときにおきめになってください」

「かたいことをいうな、かたいことを」

みっちゃんはとっちゃんに一万円札を渡した。

「えっ、しゃちょう。よろしいんですか、こんなに」

「あとでかえせよ。ええからええから。どのこをしめいしたらええんや」

「そうですねえ、いまのじかんでしたら、ＥＭＩちゃんに静ちゃんがいいですかね

「よっしゃわかった」

「はい、おふたりさまごにゅうてん」

とっちゃんは激しくお盆を叩いた。

「いらっしゃいませ。ごしめいは」

「え〜エリザベスにフランシーヌや」

かっちゃんがみっちゃんの袖を引いて言った。

「しゃちょお、ちがいますよ。ＥＭＩちゃんに静ちゃんですよ」

「ああ、そうやったかなあ。ほなＥＭＩちゃんと静ちゃん」

「はい、ＥＭＩちゃん静ちゃん、ごしめい」

「キャア、しゃちょう。カッコイイ」

ＥＭＩと静が嬌声《きょうせい》を上げながらみっちゃんとかっちゃんの隣りに滑り込んだ。

「ＥＭＩでーす」

「静でーす」

「ねぇ、しゃちょうさん。みずわりいただいてもいいかしら」

「おお、ゲロはくまでのみや」

ＥＭＩと静が、またキャーッと叫んだ。ＥＭＩはマッチを擦って、とっちゃんに合図をした。とっちゃんが来て水割りを置いて去った。みっちゃんが涎をこぼしそうな顔をして言った。

「おぅおぅかわいいのう。EMIちゃんはとしはいくつや」

EMIがぶりっこして答えた。

「十さいでーす」

「おう、こらまたわかいのう。そこの静ちゃんはいくつや」

静が身をくねらせて答えた。

「はい、十さいでーす」

「おおそうかそうか。こづかいやろ、こづかい」

みっちゃんは財布を出すとEMIと静に三万円ずつ渡した。EMIと静はキャーキャー言ってお礼を言いつつその金を胸の内側に収めた。みっちゃんは小さな声で、

「あとでかえせよ」

と言った。かっちゃんもあわてて財布を出すと、女の子たちに二万円ずつ渡した。しかしみっちゃんの三万円パンチの後だけに、これは余り効果がなかった。みっちゃんはEMIちゃんの膝に手を置いて言った。

「いやらしいひざのさわりかた。まず手をすぼめたじょうたいで、ひざのうえにおく。つぎにすぼめた指をゆっくりとひらきながらなでおろしていく」

「いやらしーい」

EMIがぶるぶるっとしながら言った。

かっちゃんもあわてて静の足に手を置いた。だがすぐに、

「この手はだれの手」

と、やんわり押し戻されてしまった。

その間にみっちゃんはEMIの腿にじんわりと指をすすめていた。

「おお、おお、おお。かわいい足やのう。けがわこうたろか。ダイヤがええか、それともマンションか」

「マンションがいい」

と、EMIが即答した。

「静ちゃんはどうや。マンションこうたろか」

「うれぴい」

と静が言った。

「ようし、あたまきんはわしがはろたる。そのかわり、ローンはおまえらがはらうんやで」

EMIは静に言った。

「ちょっといまのきいた」

で、やて」

「せっこー」

みっちゃんはなおも言葉を続けた。

「マンションに行くのは火ようと金ようや。つとめてもらうで。3P」

「え〜っ」

EMIと静が言った。

「それって、わたしら一けんのマンションにすんでるんですか」

「あったりまえやないか。そのかわり3DKはおごったる」

EMIがみっちゃんの手を振り払って言った。

「ちょっと、あしさわらんとってください」

とっちゃんがお盆をコンコンと叩きながら通り過ぎた。みっちゃんのテーブルはシラけていた。EMIはいきなり毎日小学生新聞を読みはじめた。静はポリポリと太腿を掻いていた。コツコツとお盆をならしながらとっちゃんがまた通りかかった。

そしてやにわにお盆を地面に叩き付けると叫んだ。

「おもしろくないや、こんなの！」

みんなは顔を見合わせた。

「おもしろくないの、とっちゃん」

とかっちゃんが訊いた。

「ああ、おもしろくないよこんなの」

「でもね、とっちゃん。このキャバクラあそびはきみがやろうっていいだしたんだよ」

「だって、おぼんたたいてるばっかりじゃないか」

「そりゃあ、しかたがないよ。やくわりなんだから」

「だれがきめたんだよ、このやくわりを」

「そりゃあ、しぜんにそうなったんじゃないの」

「いいや。そんなことないな」

「そんなにいうなら、もう一かいやってみようか」

「……えっ」

「もう一かいやってみようか」

「やってみようか」

「よし、やってみよう」

みっちゃんとかっちゃんが、最初の千鳥足に戻った。

「いやあ、ひさしぶりやなぁ、神戸は」

「ほんま、しゃちょう。神戸のまちもかわりましたなぁ」

「そうやなぁ、しんさいからこっち、なんやふうぞくばっかりになってしもたなぁ」

とっちゃんが太鼓の桴でアルミのお盆を思いっきり叩いて叫んだ。

「え〜らっしゃい、らっしゃい、らっしゃいらっしゃい」

全員が叫んだ。

「ここだ」

とっちゃんが言った。

「そうだ。ここなんだよ。というよりもっとまえからぼくのうんめいはきまっていたんだ。いいかいぼくたちは五にんしかいないんだ。そのうちおんなのこふたりはとうぜんホステスのやくだ。そこでしゃちょうと、とくいさきのやくを、いきなりみっちゃんとかっちゃんがとってしまったんだ。そしたらもうぼくのやくはてんいんしかのこってないじゃないか。さわりたかったのに」

「えっ」

「ぼくだってふとももさわりたかったのに。……え、え」

「とっちゃん、なにもなくことはないじゃないか」

かっちゃんがとっちゃんを慰めた。

「よし、こうしよう」

とみっちゃんがきっぱり言った。

「え」

と一同。

「おんなのこがホステスをやるときめつけるから、こんなことになるんだ。おんなのこには、てんいんのやくをやってもらおう」

「え、じゃあぼくがおきゃくさん」

とっちゃんの目が輝いた。

「でも、じゃあ、ホステスのやくはだれがやるの」

みっちゃんが答えた。

「ぼくとかっちゃんだよ」

「げーっ」

「とっちゃん」

「なに」

「いやらしいあしのさわりかたおしえてあげようか」

「いらねーやい、そんなの」

「キャバクラごっこはおわったな」

その様子を井出ちゃんが双眼鏡で観察していた。院長室の窓からである。

「何だか変わった遊びをしている」

「変わった遊び」

院長が振り向いた。

「それはどういう遊びかね」

「よくわからないんですけど、〝峠の甘酒売り〟みたいな」

「峠の甘酒売りか。それは変わってるね。従来のこどもの遊びのメニューにはなかったパターンだ」

「遊びの新種を発見したってことですかしら」

院長は腕を組んで考え込んだ。

「それはどうだかなぁ。こどもの遊びっていうのは進化しているようでいて退化している。退化しているようでいて進化している」

「どういうことですの」

「こどもの遊びというのは基本のフレイムは、鬼ごっこであったり、隠れんぼであったり、ここ何百年というものさしたる変化はない。だがそれにオプションが付いたり微妙なキャラクターの変化があったりで、進化しているように見える。ことにこの時代、テレビの影響というものが大きいからね。だが遊びの骨格自体は六百年前とさしたる変化はないんだよ」

「でも逞《たくま》しいですわね、こどもって。こんな何にもないところからああやって、物置きから色んなものを持ち出して、新しい遊びを作ってしまう。好きだわ、こどもって。無邪気で純粋で」

「あ、ああ。そうだね」

院長は咳払いしながら答えた。

「とにかくこどもというものは遊びを通して成長していく。成長していくということは、オピニオン内におけるホメオスタシスの形成であったり、パラダイムの認識であったりする」

「ひいては、次の段階へのステップアップの準備も同時に行なわれていたりするわけですわね」

「その通りだ。その次の段階とは何だかわかるかね」

「それはこども社会が崩壊し、全員が〝社会的存在〟へと変貌していくことですわ。社会的存在となったこどもたちには正義感、義務感等が芽生え、仕事、恋愛、結婚、出産等の人生における最大のスペクタクルが彼らを待っています。そして、それに伴ってストレスというものも発生してくる訳です」

「そうだ。ではその社会的存在とは一言でいって何だね」

「〝おとな〟ですわ」

「我々の任務というのは、この〝二回目のこどもたち〟にできるだけ無駄なトラウマとなる要因を与えず、ストレスを受け易い体質をこの時期に改善することだ」

「デリケートなお仕事ですわね」

「そうだ。極めてデリケートな仕事だよ」

井出ちゃんはまた、双眼鏡を目元に持っていった。

「あら、また新しい遊びが始まったようですわ」


「よーし、いよいよチャンバラごっこだ」

みっちゃんが張り切って言った。

「ちょっとまってよ」

と、とっちゃん。

「ん、何だいとっちゃん」

「あのね、あのね。さっきのぼくみたいにならないようにさ、さいしょからキャスティングはきっちりきめておいたほうが、いいとおもうの」

「わたしはおひめさま」

「あたしもおひめさま」

静とEMIが手を挙げた。

とっちゃんが首をかしげて言った。

「うーん。おひめさまがふたりか、まぁいいや。ふたごのおひめさまってことにしちゃおう」

「じゃあ、あくだいかんはだれがやるの」

全員がみっちゃんの方を見た。みっちゃんは拳を握ってぷるぷると震わせながら、

「うー、うう、うー、いやだ。ぼくはもんたろうざむらいがやりたい」

とっちゃんとかっちゃんが頭をポリポリと掻きながら言い合った。

「うーん、こまったなぁ。ひとつのあそびにもんたろうざむらいはふたりいらないからなぁ」

「それにさぁ、あのあくだいかんだって、まんざらすてたやくでもないのになぁ」

「そうだよ、そうだよ。でっかいぶんどきでおんなのこのパンツのかくどをはかったりさぁ」

「そうそう。それとかでっかいじょうぎで、おんなのこのふとももをピシッピシッとたたいたりさぁ」

みっちゃんが言った。

「まぁ、きみたちがどうしてもというのならぼくがやってあげてもいいけどさぁ、そ

のやく」

「やった。あくだいかんきまり」

「しかしでっかいぶんどきとか、じょうぎとか、そんなものどこにあるんだ」

「ここにあるよ〜ん」

とっちゃんが懐からでっかい分度器とでっかい定規を取り出した。

「どこでみつけたんだ、そんなもの」

「ものおきごやに、はいってたんだよ。これはさんすうのじゅぎょうにつかうきょうざいだな」

「しかしへんなものが、いっぱい入っているな。あのものおきごやは」

みっちゃんが、とっちゃんから分度器と定規を受け取った。とっちゃんが言った。

「のこるもんだいは、もんたろうざむらいをだれがやるかということなんだけど、これはかっちゃんやりなよ」

「え、いいの」

「いいんだよ、いいんだよ」

とっちゃんがかっちゃんの肩をポンと叩いて笑った。

「おとこのゆうじょうってやつさ」

「じゃあとっちゃんは、なにをやるの」

「ぼくはかいせんどんやの、えちごやだ」

「ぼくのかたなはどうしよう」

「かたなはねえ、これをつかおう」

とっちゃんがそのへんから手頃な枯れ枝を拾って来た。

「よし、じゃあはじめよう。〝もんたろうざむらい〟ようい、スタート。ザーザーザー」

「とっちゃん、なんだよ、そのザーザーっていうのは」

「なみのおとさ。かわにうかべたやかたぶねのなかで、あくだいかんとえちごやがサケをくみかわしているってシーンなんだ」

「とっちゃん、こまかい」

かっちゃんが一旦後ろに退いた。

「おーっほっほっほっほ」

と、とっちゃんの越後屋が笑った。

「ぐふ、ぐふ、ぐふふふふ」

と悪代官が笑った。

「ささ、おだいかんさまおひとつどうぞ」

越後屋が悪代官に酒を注いだ。悪代官はその酒を旨そうに飲み干すと、杯洗ですす

ぎ越後屋にまわした。注がれる酒を両手で受けて越後屋が、

「しかしうまくゆきましたなぁ。アヘンのぬけにを、ないていしていたこっぱやくにん、宇之口清十郎を、ざいもくおきばでざんさつ」

悪代官がその話を受けて、

「ぐふっぐふっ。それをみていたかざりしょくにんのきょうだいを、ながやのいどばたでなぶりごろし」

「それをみていた、いぬのポチをくびりころしたうえチンタンスープ・コチジャンふうみでくいつくす」

「それをみていたふたごのおひめさまをかどわかし、目をつぶしたうえこんばんにでもシャンハイにうりとばすだんどり。いやぁえちごや、おぬしもワルよのう」

「ま。どのくちがおっしゃってますのやら、おだいかんさまはわるいおひとや」

「う〜い。さけがまわったぞ。ではあのふたごのおひめさまを、おちょくってくるとするか」

悪代官は立ち上がり、懐から分度器を取り出し双子のお姫様の方を向いて叫んだ。

「パンツのかくどのせまいむすめはおらんか。パンツのかくどのせまいむすめはおらんか」

「キャァー、いやらしい」

船のともでお姫様たちが騒いだ。その時、尺八の音色が突如として響き渡った。お面をかぶった（といっても、木の葉の仮面）もんたろう侍が現われた。

「ひとーつ、ひとまえでへをこき」

「なんだこいつは」

「ふたーつ、ふたりっきりでもへをこき」

「もんたろうざむらいよ、カッコイー」

「みっつ、みつぼしれすとらんでへをこき。よっつ、ようちえんでへをこき。いつつ、いもくってへをこき」

「なんだおまえは、へをこいてばっかりではないかっ」

と代官が絶叫した。

「みにくいうきよのおにを、たいじしてくれよう、もんたろう」

悪代官と越後屋ともんたろう侍は、ちゃんちゃんばらばら斬り結んだ。しかし、悪代官たちに敵《かな》う相手ではない。二人はもんたろう侍に取り押さえられてしまった。

「ひえ〜、おゆるしください」

「もうわるいことはいたしませーん」

「きっとかいしんするのだぞ」

「もんたろうざむらい、カッコイー」

双子のお姫様がやんやの喝采を送った。

「おいおい、ちょっとまってくれよ」

悪代官のみっちゃんが座りなおして言った。

「ん、どうしたの、みっちゃん」

と、もんたろう侍のかっちゃん。

「なんかちがうんだよなぁ」

「ちがうってどこが」

「このあそびはどうも、こどもらしくないんだよ」

「こどもらしくない」

「そうだなぁ、こどもっていうのはもっと、なんていったらいいのかなぁ。えーと、えーと。そう、〝ごつごうしゅぎ〟なんだよ」

「ごつごうしゅぎ」

「そうだよ。たとえばね」

悪代官ともんたろう侍が激しく斬り結びはじめた。何回か斬り合ったあと、悪代官は分度器と定規でもんたろう侍の刀をはさみ、ポイッと投げ捨てた。

「あっ」

ともんたろう侍。

「へっへっへ。やーいざまをみろ」

と、悪代官と越後屋が踊りを踊った。もんたろう侍は激しく抗議した。

「おかしいじゃないか、そんなの」

「なにがおかしいんだよ」

「おかしいよ。それにきみたち、だいたいぶんどきとじょうぎでどうやったらカタナにかてるんだよ」

悪代官が踊りながら言った。

「それはね、それはね、メチャクチャかたいぶんどきとじょうぎだったのだ」

「そんなの、そんなのってごつごうしゅぎだよ」

「だからいってるじゃないか。〝ごつごうしゅぎ〟なんだって」

「ふふふふ」

と、もんたろう侍が含み笑いをした。

「どうした、なにがおかしい」

「このあくだいかんめ、おまえのもっているそのぶんどきは、たけみつだ」

「げげーっ、そうだったのか。しかし、ぶんどきにたけみつなんてものがあるのか」

「あるのだ。ぼくがあさはやくものおきごやにいって、かたいぶんどきと、やわらかいたけみつをすりかえておいたのだ」

「くそぉ、そうだったのか」

悪代官が分度器と定規をがちゃがちゃと床になげた。もんたろう侍が勝ち誇って言った。

「さあこれでおたがいにぶきはなくなった。すででしょうぶだ。かくとうぎオタクのこのぼくに、けりのひとつでもヒットさせることができるかな」

「ふっふっふっふ」

悪代官は懐からリボルバーを出すと、かっちゃんに向けて構えた。

「あっ、それは」

「ふっふっふっ。院長先生が、つくえのひきだしにかくしていたのをもってきたのだ。いいかいくぞ。バーン」

「うっ」

もんたろう侍が肩を押さえてのけぞった。

「バーン」

「うっ」

「バーン、バーン、バーン、バーン」

「うっ、うっ、うっ、うっ」

「バーン、バーン、バーン、バーン」

「うっ、うっ、うっ……ちょっとまて」

「どうした」

「そのリボルバーは六れんぱつのはずだろ。もう十ぱつもうっているじゃないか」

「えっ」

悪代官はピストルを見、もんたろう侍の顔を見、そして激しく笑った。

「はーっはっはっはっは。はーっはっはっはっは」

「なにがおかしい」

「このリボルバーはな百れんぱつなのだ」

「このごつごうしゅぎしゃめっ。いっておくがな。そのリボルバーのたまは、くうほうだ」

「えっ」

「ぼくがあさはやくに、いんちょうせんせいのところへいって、くうほうとすりかえておいたのだ」

「え〜いそうだったのか、ちくしょう」

悪代官はリボルバーをガチャリと土の上に投げた。もんたろう侍はそれを素早く拾うと、

「はーははは。このリボルバーのたまがくうほうだといったのは、うそだ」

「えっ、うそ」

「うそだ。さああくだいかんめ、これをうけてみろ。バーンバーンバーンバーン」

「うっ、うっ、うっ、うっ」

「バーンバーンバーンバーン」

「うっ、うっ、うっ、うっ」

「バーンバーンバーンバーン」

「うっ、うっ、うっ、うっ」

「おかしいなぁ、こんなにうっているのに、どうしておまえはしなないんだ」

「それはなぁ、それは」

悪代官は腰に手を当てて、ふんぞりかえって言った。

「それは、しなないクスリをつけたからだ」

「くそっ、ものすごいごつごうしゅぎだ」

悪代官が上空を指さして言った。

「あ、あんなところにUFOが」

「えっ、どこどこ。ちょっとこれもってて」

もんたろう侍はピストルを悪代官に預けた。

「はーっはっは。バカめ」

「あっ、しまった」

「よし、いくぞ。バーンバーンバーンバーン」

「ふふふ。ぼくもしなないクスリをつけたぞ」

「あっ、しまった。それならこれでどうだ」

悪代官はもんたろう侍の体に何かを塗りつけた。

「なんだ、それは」

「しなないものを、しなすクスリだ」

「えーっ、しなないものをしなすクスリか。なら、これはどうだ」

もんたろう侍は悪代官の体に何かを塗りつけた。

「なんだそれは」

「しなないものをしなすクスリをつけたものを、しなすクスリだ」

「えっ、しなないものをしなすクスリをつけたものをしなすクスリか」

「ならぼくは、これでどうだ」

「なんだそれは」

「えーと、しなないものをしなすクスリをつけたものをしなすクスリをつけたものを、
えーい、もうわけがわからなくなってきた」

「おもしろくなーい」

と、ＥＭＩのお姫様が言った。

「おもしろくない」

と、越後屋が言った。

「わたしらでばん、ぜんぜんないじゃないですか」

「そうよ、そうよ。さいしょのうちこそ〝パンツのかくどのせまいむすめはおらんか〟とかいって、ちょっとドキドキさせてくれたけど、それいらいなしのつぶてじゃないの」

悪代官は床から分度器を取り上げると、

「あーはいはい。わかりました。わかりました。つまりこういうことだな。きみたちはパンツのかくどをはかってもらいたいわけだな」

「えっ、べつにそんなことはないんだけれど」

「いいよ、いいよ。はかってやるよ」

悪代官はＥＭＩのお姫様の腰に手を当てると言った。

「ぼくはこれがやってみたかったんだな。こしもとのおびに手をかけてひっぱると、おびがくるくるとまわって、こしもともくるくるまわって〝あーれ〜〟とかいいながら、ぬがされていくやつ。おひめさまはきょうはきものをきていないけれど、まぁいいやスカートで。いいか、いくぞ」

悪代官はお姫様のスカートに手をかけて思いっきり引っ張った。スカートが破れてビリビリビリビリビリッと音をたて、やがて悪代官の手にスカートが残った。ＥＭＩのお姫様は木綿のパンツ一つになってしまったまま土の上にくずおれた。

「ひどーい」

静のお姫様がＥＭＩのお姫様をかばって言った。

「ちょっとみっちゃん。おんなのこになんてことするのよ。みなさいよ。ＥＭＩちゃんないてるじゃないの」

「ふん、それは、よがりなきだ」

「なによ〝よがりなき〟って」

「うれしくてないておるのだ」

「ひっどぉ～い。もうやめよ、やめよ、チャンバラごっこなんて」

「ああそうか。やめたけりゃ、やめるがいいさ。とっちゃんはどうなんだ。チャンバラ、つづけるきはないのか」

とっちゃんはもじもじして、

「え～、そうだなぁ。びみょうなとこだなぁ」

「かっちゃんはどうなんだ」

「えっ」

「チャンバラ、つづけるきあるのか」

「えーと、ぼくはねぇ、どちらかというとね、チャンバラはちょっと」

「根室の営業所に欠員ができとったなぁ」

「……えっ」

「いいだろうなぁ冬の根室。流氷がザバーン。遠くに見えるハボマイ、クナシリ、エトロフ、シコタン」

「えっ、それはその」

「根コンブの買い付け」

かっちゃんはみっちゃんの肩を抱いて言った。

「みっちゃん」

「ん、なに」

「チャンバラ、やろう。ね」

女の子たちととっちゃんは顔を見合わせて言った。

「サイテー」

〈四〉


「まったく油断も隙もない」

院長はリボルバー型のコルト・パイソンを分解しながら呟いた。

「困ったこども達だ。しかしそれにしても、みっちゃんは私がこのデスクにピストルを隠していることをどうして知っていたんだろう」

井出ちゃんは院長の手元を見つめながら答えた。

「それはきっと院長先生が海に行ってらっしゃる間に、みっちゃんがこの院長室を〝探険〟したんですわ」

蓮根のような弾倉の穴にオイルを塗った綿棒を差し入れながら院長が、

「弾丸《たま》が入っていなかったからいいようなものの、事によっては大惨事になるところだ。私が不法所持していることも明るみに出て、私は刑務所送りだ」

「そうですわね」

「この施設も閉鎖せざるを得なくなる」

「はい」

「君は、こども達が今どこにいて何をしているか、常にアンテナを張っていなければいけないよ。そうでないと今回のようなことはまた起こる」

　井出ちゃんは耳もとまで真っ赤にさせてうつむいた。

「申し訳ございません」

「いやいや、君のせいだけじゃない。私も安易だった。こんなわかりやすいところにピストルをしまっておくなんてな。もっと考えて隠すべきだった」

　院長は銃身の筒の中に細い棒だわしを入れて上下させた。

「こんなところにも砂利が入っている」

「あの」

「何だね」

「前からお訊きしようと思っていたのですけれど、院長先生はどうしてピストルなんかをお持ちなのですか。この島はとても安全なところだと思います。住んでいるのは私たちとこども達、それに灯台の方、それだけです。船も週に一回着くだけ。それも部外者を乗せてくることはありません。泥棒や暴漢が上陸してくることなど有り得ないじゃありませんか。なのにどうしてピストルなんか」

　院長は微笑んで井出ちゃんの顔を見た。

「こいつはね、別に人を撃つためのもんじゃない。私のストレス解消のツールなんだよ」

「ストレスの」

「ああ、私だって訳のわからないクライアントに関わると、むしゃくしゃすることがある。そんなときは浜辺に行って、夕陽に向かって二十発ほどぶっ放す。気分がすうっと凪《な》いでくるのがわかるよ」

「そうでしたの。存じませんでした」

「世の中じゃ誰もがストレス、ストレスと騒いでいる。下は一歳児からよぼよぼの爺さん婆さんまで、誰もがストレスに取り憑かれている。しかしね、ストレスというのはある意味で人間にとって必要なものなんだ。ストレスには肉体的なものと精神的なものがある。肉体的なものとしては、たとえば急に寒い所に出たときに、きゅっと鳥肌が立つね。あれだってストレスなんだよ。ストレスというものは精神的肉体的な危機に直面したときに、それに対するディフェンスとして立ち現われてくるものなんだ。だからノー・ストレスの状態というのは人間が生きているかぎり有り得ないことなんだよ」

「でも現代人には無用のストレスが多すぎるような気もしますけれど」

院長はピストルをいじる手を止めて、ロスマンに火を点けた。

「そうだね。だから誰もがその解消法を求めてうろたえている。これは案外知られていないことなんだが、ストレスを解消させるためにはね、〝野蛮なこと〟をするのが

「一番なんだよ」

「野蛮なこと……ですか」

「そう、例えば砂浜を大声を出して叫びながら突っ走るとか。あるいは等身大の人形を作っておいて、それに嫌いな上司の写真を貼って、バットで思いっきりぶっ叩くとかね」

「まあ怖い」

「もしくは私みたいにピストルを心ゆくまでぶっ放すとかね。要はプリミティブなことをすればいいんだよ」

「勉強になりましたわ。で、院長先生、それだけ撃ってらしたら、腕の方は確かなんでしょうね」

「ははは。大学の六年間、射撃部でクレーをやっていたからね。ここの夕陽には私の弾丸が随分と突き刺さっているはずだよ」

井出ちゃんと院長は、くっくっと笑い合った。

「どっちにしても今度のアミタール面接のときに、このピストルの記憶をこども達から消去しておかないといけないな」

「そんなにきれいに消し去れるものなんでしょうか」

「できる。特にこの島の場合はね。こども達はひどく暗示にかかりやすくなっている。

これはアミタールや私の催眠術以外に、人を暗示にかかりやすくさせる何らかのエレメントがこの島にあるんだと思うんだ。それは一言で言って環境によるものだろう。リズミカルな波の音、イオンをたっぷり含んだ空気、規則正しい生活と規則正しい睡眠。そういったものの複合《コンプレックス》が、人を暗示に陥りやすい精神構造にさせているんじゃないだろうか」

「そうかもしれませんわね」

「とりあえず今日からこども達に例の日記をつけさせることにしたよ」

「あら、そうですの」

「ああ。日記によってこども達の外面からはうかがい知れない精神的な深みを覗くことができる」

そう言うと、院長はまたリボルバーの部品にオイルを塗り始めた。井出ちゃんは小さな欠伸《あくび》をひとつした。夜が深くなっていた。

七月十五日　とっちゃんの日記

みっちゃんはさいあくだ。ひどい子だ。デリカシーなんてかけらもない。

きょうぼくは朝からごきげんで山田さんとあそんでいた。山田さんというのはぼくがMACにつけた名前だ。

ぼくはわれながらすばらしいアイデアを思いついて、そのプログラミングをむちゅうになって山田さんにうちこんでいた。

そのアイデアというのは「球の中に竜がいる」というものだった。どこにもつぎめのない球の中に竜がいる。レントゲンしゃしんでないと竜が中にいるのはわからない。もしかしたら球にちっちゃなのぞき穴をあけといてもいいかもしれない。

ぼくはパパにつれていってもらった台湾の「故宮博物院」でこれににたものをみた。象牙の球の中にまた球がある。その球の中にまた球がある。とてもきれいなもようをほった球だ。それが球の中に球というふうにずーっといって、なんと二十一の球がひとつの球の中におさまっている。どうやってこんなものをほったのかはだれにもわからない。おじいちゃんからまごまで、三代にわたってほったのだそうだ。なぜそんなに時間がかかったかというと、完成してしまったらひみつをまもるために王さまにころされてしまう。だからわざとゆっくりゆっくりほったのだという。

ぼくはこの球を見たときに、とてもかんどうした。どうやってほったのかはぜんぜんわからないけれど、コンピュータならこれができるとおもった。

まずコンピュータの中に、球の中に竜が入っているというプログラムをこまかくつくる。おとなの人はよく病院で「CTスキャン」というけんさをうける。これは脳なら脳を五ミリずつくらいにこまかく輪切りにしてさつえいするものだ。これと同じことをコンピュータの中の球にたいしてもおこなう。CTスキャンよりもっとこまかく、〇・五ミリくらいのうすさに輪切りする。

次に、液化プラスティックのプールをよういしておく。これのひょうめんに紫外線をあてる。紫外線はコンピュータの中の竜いりの球をこまかく輪切りにしたデータに一回ずつたいおうしている。紫外線があたると液化プラスティックはかたまる。これを何十回、何千回とかさねていくと、プラスティックの球ができる。中には一ぴきの竜がすんでいる。

なんてすばらしいアイデアなんだろう。というわけで、ぼくは朝からむちゅうになってコンピュータのキーボードをたたいていた。おひるごはんもたべなかったんだ。

そしたらひるの三時くらいになって、みっちゃんとかっちゃんがやってきた。みっちゃんはニタニタ笑っていた。

「よう、てんさいくん。なにをいっしょうけんめいたたいとるんだ。それは〝わぶんタイプ〟か」

ぼくはおかしくなって、わらってこたえた。

「ちがうよ、みっちゃん。これはコンピュータで、なまえは山田さんっていうんだ」

みっちゃんはそばによってきてモニターがめんをのぞきこんだ。

「ふうん。こんなものをぱちぱちたたいてておもしろいのか」

「うん。すっごくおもしろいよ」

「そうか。それならぼくにもやらせてみろ」

みっちゃんはぼくをイスからつきとばして、じぶんがかわりにすわった。そしてキーボードをむちゃくちゃにたたきだした。

ぱちぱちぱちぱちぱちぱちぱちぱちぱちぱちぱち。

「なあんだ、なんにもおもしろくないじゃないか。こどもはもっとからだをつかってあそぶもんだ。そうだなあ、たとえばプロレスごっこ」

「プロレスごっこ？」

「そうだ。えー、ただいまよりアブドーラ・ザ・ブッチャーたいコンピュータ山田の六十分一本しょうぶ。ほらかっちゃん、なにしてる。ゴングだゴング」

みっちゃんにいわれてかっちゃんはおどおどした声でさけんだ。

「カーン！」

みっちゃんはじぶんでかいせつをつけながら、山田さんのまわりをぐるぐるまわった。

「おっと、りょうしゃにらみあっております。コンピュータ山田はぴくりともうごかない。あーっと、アブドーラ・ザ・ブッチャーのひっさつのエルボー・ドロップ、はやくもでました」

みっちゃんはヒジをまげて山田さんのキーボードのうえにがつーんとおとした。とたんにモニターがめんにうつっていたえいぞうがグチャグチャになってゆれた。

「みっちゃん、やめてよ。それはぼくが朝からかかってプログラミングした」

「おーっと、ブッチャー、二はつめのエルボー、いくか、いくか、いったあ」

みっちゃんはまた山田さんにヒジをおとした。

「やめてよ、やめてよ。ねえ、かっちゃんもとめてよ」

かっちゃんはあいまいなひょうじょうをうかべて、

「うん。……でも」

といった。

「おーっと、とどめのいっぱつだ。いくか、いくか、いった。ブッチャー、エルボー三れんぱつ！」

みっちゃんは三つめのヒジうちを山田さんにおとすと、モニターがめんをみた。

「おお、めちゃくちゃになっとる。コンピュータなんて、にんげんの手にかかればもろいものだ」

それからみっちゃんは、山田さんから出ているコードを手でひっぱって、

「こいつはこのコードでえいようをとっているのか。それならばこうだ」

ぷちっ

みっちゃんが山田さんのコードをひきぬいた。

「あっ」

とぼくはさけんだ。セーブしていなかったので、球と竜のデータはいっしゅんにしてきえてしまった。

ぼくの目からなみだがボロボロこぼれてきた。

「なんで、なんでそんなことするんだよお」

みっちゃんはいった。

「こどものくせに一日中へやの中でコンピュータとあそんでいるなんて、こどもらしくないからさ。こどもはおもてでげんきよくチャンバラごっこをするもんだ。なあ、かっちゃん」

かっちゃんは目をふせて、

「う、うん」

とこたえた。

「さ。かっちゃん、いこうぜ。こんなシンキくさいとこ、おもしろくないや」

といって、二人はさっていった。ぼくはおもいっきりないた。

七月十五日　静の日記

みっちゃんって、サイテー。こどものクズ。わがままでドエッチでヘンタイで、えーとえーと、ほかにないかな。とにかくサイテーの子。

きょう、おひるごはんがおわったあと、わたしとEMIちゃんとかっちゃんとでなわとびをしてあそんでいたの。ちゅうしゃじょうで。とっちゃんは、なんだかなきながらコンピュータであそんでいた。みっちゃんにはこえをかけなかった。どうせわがままいって、みんなをふゆかいにさせるんだから。

なわとびのなわはものおきごやにあった。ほんとになんでもあるものおきだ。

さいしょにジャンケンでEMIちゃんがとぶことになった。EMIちゃんはスカートをパンツのなかにたくしこんで、ブルマーみたいにしてとんだ。わたしとかっちゃんは、せいいっぱいはやくなわをまわすんだけれどもEMIちゃんは「ヨユーシャクシャク」。いちどもなわにふれたりなんかしない。ダンスできたえたEMIちゃんの足はひきしまっていてとってもかっこいい。女の子のわたしでもうっとりするくらい。

「おじょおさん、おはいんなさい」

つぎにかっちゃんがとぶことになった。かっちゃんは見かけはちょっとおっさんくさいこどもだけれど、かくとうぎをずっとやっていたせいだろう、うんどうしんけいはバツグンにいい。すっごくたかくとぶ。なわを二重まわしにしてもへっちゃら。とんだときにけるまねをして、なんていってる。かっちゃん、みっちゃんといっしょにいないときは、とってもいい子。
「アチョー」

かっちゃんは、なんと空中でトンボがえりをしてじめんにおりたった。わたしとEMIちゃん、もうヤンヤのかっさい。

さて、わたしがとぶばんになった。よわったなあ。わたし、うんどうしんけいそんなによくないし。あしもちょっぴりふといし。でもそんなこといってられない。ゆうきをだしてとぶことにした。

「おじょおさん、おはいんなさい」

なんだ、いがいとかんたんじゃん。リズムに合わせてなるべくたかくとべばいいんだ。とんでるうちにとってもたのしくなってきた。EMIちゃんみたいにスカートをパンツの中にはさみこまなかったので、とんで上から下にいくときにスカートがふわっとまくれあがる。きっとパンツもみえてるだろう。でも、いいの。こんなにたのしいんだもの。

そのとき、

「きょうは白だな」

というしわがれ声が、うえこみのかげからした。そしてそのかげからみっちゃんがあらわれた。

「かっちゃん、こんなところにいたのか。さがしてたんだぞ」

かっちゃんがうなだれていった。

「みっちゃん、ごめん」

みっちゃんはわたしたちにずずっとちかよると、

「ごめんじゃないだろう。こんなところで女の子あいてになわとびなんかして。それが男の子のするあそびか」

「みっちゃん、ごめん」

かっちゃんがもういちどいった。

みっちゃんはわたしとEMIちゃんのほうを見ると、にちゃあっとわらっていった。

「それにEMIちゃんも静ちゃんもなんだ。女の子のくせにパンツまるだしにしてとんで」

EMIちゃんが口をとがらせていった。

「あたし、そんなことしてないもん」

みっちゃんはEMIちゃんのほうをむいて、

「EMIちゃんはいいんだ」

そしてわたしのほうをふりかえると、

「もんだいは静ちゃん、きみだ。きみはぶかぶかのモメンのパンツまる出しだったぞ。もっとぴちっとしたパンツをはけないのか。おまけに静ちゃんはあしもふとい。象女だよ、ゾウオンナ。あーっはっはっはっは」

ひどい。がまんしようとおもったんだけど、目からなみだがボロボロこぼれてきた。

ＥＭＩちゃんがさっとわたしのまえにたっていった。

「みっちゃん、女の子になんてことというの。このヤバン人！」

みっちゃんはそれをきくと、にたっとわらっていった。

「ほう。ヤバン人か。ヤリをもってＥＭＩちゃんのまわりをおどってまわってやろうか」

「けっこうよ」

「それにしても、静ちゃんのパンツはまっ白で、ぶかぶかしてて、それはそれで静ちゃんのふとめのあしににあってる。ＥＭＩちゃんは何色なんだ」

「何色って、なにがよ」

「パンツの色だよ」

「そんなの、あたし十さいよ。十さいの女の子がはくパンツなんて、白にきまってるじゃないの」

「そうかな」

みっちゃんは、はなさきでふふっとわらった。

「EMIちゃんはハデずきだからなあ。あんがい、ムラサキとか、クロとかはいてんじゃないのか」

「あたし、そんなのはいてないっ」

「よおし、そこまでいうなら、みせてもらおうかな」

EMIちゃんはスカートのすそをぎゅっと両手でおさえてみっちゃんをにらみつけた。

「だれがみっちゃんなんかにみせるものか」

「ほお。じゃあしかたがないや。むりやりでも見せてもらおうかな。かっちゃん！　EMIちゃんをおさえつけるんだっ」

かっちゃんはうろたえて、

「え。でも、できないよ、そんなこと」

みっちゃんは、かっちゃんの耳もとに口をちかづけて、

「ほう。いいのかな。ぼくにはんこうして。根室の営業所。流氷がぎしぎしっ、根コンブのかいつけ。ハボマイ、エトロフ、シコタン、クナシリ」

かっちゃんはそれをきくと、まるでまほうにでもかけられたようにたいどをかえて、

「はい。やります」

といって、EMIちゃんの身体にくみついた。あれはなんというのだろう。りょううでをくびのうしろでむすんで、そう、「フルネルソン」、フルネルソンのかたちにEMIちゃんをうしろからがっちりかためてしまった。

「かっちゃん、いや、はなして」

EMIちゃんはあしをジタバタさせてていこうした。でもかっちゃんの力はつよい。かんせつをきめるコツもこころえている。EMIちゃんはあきらめておとなしくなってしまった。そこへみっちゃんがにたにたわらいながらちかよってきた。

「さあてと。みせてもらおうかな」

みっちゃんはじめんにヒザをつくと、EMIちゃんのスカートに手をかけ、まずパンツの中にたくしこんでいたスカートをパンツからひっぱりだして、ふつうのじょうたいにした。そして、ゆっくりゆっくりスカートをめくりあげていった。

「いやっ、やめてよっ」

EMIちゃんがさけんだ。わたしもかなきりごえをだして、

「ちょっと、みっちゃん、やめなさいよっ」

といった。みっちゃんはわたしのほうをギロリとにらむと、

「うるさい。だまってみていろ」

とすごんだ。そのひとことでわたしはあしがすくんだようになってうごけなくなっ

た。

みっちゃんはEMIちゃんのスカートをとうとうぜんぶめくりあげてしまった。スカートのしたには、かわいいピンクの小さなパンツがあった。

「ほうらみろ。やっぱり色つきパンツをはいてるじゃないか。小学生のくせにいやらしいこどもだ」

みっちゃんはふむふむとうなずきながらEMIちゃんのパンツをじろじろながめた。

「いやっ」

EMIちゃんは身をよじった。

「うむ。よくわかった。ところで、このパンツのしたはどうなっているのかな。ぼくたちとはずいぶんちがうものがおさまっているんだろうな」

みっちゃんは、EMIちゃんのパンツに手をかけた。くうきがこおりついたようになった。

「いやっ、なにすんのよお」

EMIちゃんがジタバタとあばれた。

かっちゃんはEMIちゃんをフルネルソンでかためながらも、ふるえる声でみっちゃんにいった。

「みっちゃん、ねえってば、もうやめようよこんなこと」

みっちゃんはかっちゃんをにらむと、

「だまれっ。おまえはぼくのいうとおりにしていればいいんだっ」

そのひとことでかっちゃんはだまってしまった。なさけない子。それでも男の子なの。

みっちゃんは、EMIちゃんのパンツにかけていた手をいきなりザッとひきおろすと、パンツをEMIちゃんの足くびのところまでさげてしまった。

「いやーっ」

EMIちゃんが涙をぼろぼろながしてひめいをあげた。

「あ」

とかっちゃんはみじかく声をたてた。

EMIちゃんのおまたには黒い毛がはえていた。ダイヤモンドがたをしていて、ふさふさと風にゆれていた。

「信じられない」

とみっちゃんがつぶやいた。

「EMIちゃんは十さいのくせに、もう毛がはえているのか。このごろの子はえいようがいいからはついくがはやいっていうけど、十さいでこんなに毛をはやしているなんて」

EMIちゃんは、みっちゃんにペッとつばをはきかけると、泣きながらさけんだ。

「なによ。みっちゃんだって、耳のあなから白い毛がモジャモジャはえているじゃない」

「なにをっ」

みっちゃんはハッとしたようすで、あわててじぶんの耳に手をやった。そこにはたしかに白い毛がモジャモジャはえていた。わたしたちさいしょっからそれには気がついていて、変だなあ、とはおもっていたんだけれど、みっちゃんがおこるといけないのでだまっていたんだ。

みっちゃんはこわいかおをしてたちあがると、

「このバカッ」

といってEMIちゃんの右のほっぺたをパシッとなぐった。

「あっ」

とかっちゃんがいった。

「みっちゃん、女の子をなぐるなんてよくないよ。もうやめようよ」

かっちゃんは両手をはなしてEMIちゃんをフルネルソンからかいほうした。

「バカはあんたよっ」

EMIちゃんはそういうといそいでパンツを上にあげ、それとどうじにみっちゃんのまたを足でけりあげた。

みっちゃんは、

「ぎっ」

と変な声をだすと、またをおさえてそのばにしゃがみこんだ。

「おぼえてらっしゃい。みんな院長先生にいいつけてやる」

ＥＭＩちゃんはそういうと、ちゅうしゃじょうからはしってにげた。わたしもあわててＥＭＩちゃんのあとをおっかけた。

でもしんじられない。こどもがこどもにあんなことをするなんて。もうみっちゃんとは遊ばないし、口もきいてやんない。

七月十五日　かっちゃんの日記

ぼくはもうだめだ。みっちゃんのいうことにどうしてもさからえない。きょう、みっちゃんがＥＭＩちゃんにひどいことをした。それでもぼくはみっちゃんをとめられないし、ぎゃくに手だすけをしてしまった。

ぼくはみっちゃんになにかメイレイされると、どうしてもそれにしたがってしまう。心のなかではいけない、いけないとおもっているのに、けっかてきにはメイレイをきいてしまう。なぜそうなるのかじぶんでもよくわからない。

でもこのままみっちゃんのいうことをきいていると、ぼくはみんなからなかまはずれにされる。もうみんなと遊べなくなる。これはかくじつだ。ぼくはどうすればいいんだろう。わからない。わからない。


「これはひどいわ」

井出ちゃんはこども達の日記を読み終えると細い眉をひそめて呟いた。

「ついに〝いじめっ子〟出現ってとこだね」

院長はロスマンをふかしながら苦笑いして言った。

「みっちゃんには暴力衝動と性衝動が同時に現われている。それらふたつは未分化の状態のままで混在している。みっちゃんはこどもだからセックスの方法を知らない。だが思春期の性の欲望は歴然として存在する。その膨大なエネルギーがそのままがむしゃらな暴力へと転化している。みっちゃんはそれらの激しい衝動を自分で分析することができない。みっちゃんは自分をコントロールすることができないんだ」

井出ちゃんは日記をもう一度読み返しながら言った。

「みっちゃんは暴力によってみんなを支配しようとしていますわ」

「その通りだ」

「こんな状態がいつまで続くんでしょうか」

「さあね。しかしこんなことはそう長くは持続しないだろう。そのうちにこども達の反逆が始まるよ」

「反逆ですか」

「そうだ。そしてみっちゃんは〝離れ猿〟になる」

「〝離れ猿〟ですか」

「ああ。みっちゃんは孤独になって追いつめられていくだろう。そしていろいろな出来事があって、最終的にはこども達とみっちゃんの上に〝和解〟が成立するだろう」

「和解がですか」

「そして初めてこども達の中に一種の憲法のようなものが出現するだろう。これはこども達自身が考え出し、お互いのコンセンサスを得て成立するオリジナルな憲法だ。そしてこの五人のこども達の間にホメオスタシス、精神的調和が顕現するんだ」

井出ちゃんは考え込んだ。

「みっちゃんとかっちゃんの間の、支配・被支配の問題は解消されるんでしょうか」

「うーん。これは根深い問題だ。二十年にもわたる会社での支配・被支配の構図を彼らはそのままこどもの社会に引きずってきてしまっている。この構造は無意識の領域にも深く刻印されていて、一朝一夕にはぬぐい去れないだろう。かっちゃんの自我の目覚めを根気よく見守るしかないんじゃないかな」

「人はどうして隷属することに耐えられるんでしょうか」

「耐えているんじゃない。意識下でそれを求めているんだ」

「隷属を……ですか」

「その方がラクだからだよ。上位の者から命令され、それに従う。これはとてもイージーなことなんだ。自分で解決したり判断したりする必要がないからね。その意味ではみっちゃんとかっちゃんは全く正反対の精神構造をしている。みっちゃんはオリジナリティを強く持った子だ。ある種の天才と言ってもいいかもしれない。だから狂気がつきまとうのだろう。みっちゃんも苦しんでいるんだよ」

「そうなんですか。いけないわ。私、みっちゃんに対してとても感情的になっていましたわ」

院長はロスマンを灰皿で揉み消して言った。

「いずれにせよ、明日から連中がどう出るか楽しみだ」

「私は少し不安ですわ」

と井出ちゃんはうつむいた。

ＭＡＣの山田さんの前に座っているとっちゃんの傍らに静とＥＭＩが立っていた。

「ぶったのよ。パンツを脱がせたうえにＥＭＩちゃんのほっぺをおもいっきりぶったのよ」

静がとっちゃんに説明していた。

「それはひどいなあ。女の子に手をだすなんて」

とっちゃんは眉をひそめた。

EMIは両のこぶしでこめかみのあたりをグリグリしながら言った。

「あたし、このままではぜったいゆるさないからね。倍にしてふくしゅうしてやる」

とっちゃんは答えた。

「たしかに、みっちゃんのわるさはだんだんひどくなっていく。だれかがこらしめて、歯どめをかけないといけないよ」

静が、

「ほんとうね。かっちゃんがいなかったら、みっちゃんなにもできないくせに」

「かっちゃんはどうしてみっちゃんのいうことにさからえないんだろう」

「なにかよわみをにぎられてるのよ、きっと」

「からだがマッチョなわりに、おちんちんがすごくちっちゃいとか」

EMIはとっちゃんの頭に軽くチョップを落とした。

「とっちゃんまでそんなエッチなことというの。みっちゃんがのりうつってるんじゃないの」

「そんなことないよお」

「まったく、ここの男の子たちときたら、ろくでもないやつばっかり」

とっちゃんは苦笑いしながら言った。

「でも、どうやってこらしめよう」

EMIが、

「かいだんからつきおとすとか、どう」

「そんなの、死んじゃうよ。それにこのクリニックはフラットだから、かいだんなんてないよ」

「じゃあね、じゃあね、みっちゃんの『さんかいじごくなべ』に下剤をいっぱいいっぱい入れとくの。ふふふ。みっちゃんくるしむわよ。二十分おきにおなかをおさえて、〝ちょ、ちょっとトイレへ〟。しまいに間にあわなくなって、パンツの中に出しちゃったりして。そしたらあたしたち、みっちゃんのまわりをかこんでうたうの。

♫みっちゃん　みちみちウンコして
紙がないから　手でふいて
もったいないから　食べちゃった♪

きゃあっはははは。ゆかい、ゆかい」

「きたないなあ」

「うん。〝おとしあな〟っていう手もあるわね。おとしあなをほっておいて、『オニさんこちら』をやるの。♫オニさんこちら、手のなるほうへ♪。そして目かくししたみっちゃんをおとしあなのほうへゆうどうするの。そのおとしあなのそこにはね、ドクヘビがいっぱい」

とっちゃんは目を丸くした。

「女の子ってのはいざとなるとすごくざんこくなことをかんがえるもんだな。よくおもいつくよ、つぎからつぎへと」

静は二人のやり取りを黙って聞いていたが、やがてぽつりと呟いた。

「そんなのはダメよ」

「え？」

と二人。

「身体をいくらいためつけたってダメ。かっちゃんをつかって、倍になってかえってくる。身体じゃなくて心よ。心をいためつけるの」

「心をいためつける。なるほどね。そのほうがよっぽどざんこくだ。でも、どうやって」

静はしばらく考えた後で、答えた。

「〝いじめ〟よ」

「いじめ？　いじめって学校でもんだいになっているいじめ？」

「そう。みっちゃんをなかまはずれにして、こどくの〝ずんどこ〟においやるの」

「〝どんぞこ〟だよ、静ちゃん。それはきほん的にはいいかんがえだね。でもさ、ぐたいてきにどんなやりかたがあるんだろう」

ＥＭＩの顔がパッと輝いた。

「歌よ」

とっちゃんと静はＥＭＩの顔を注視した。

とっちゃんが尋ねた。

「歌？　どういうこと」

「あたしは歌手だから、いっぱいいろんな曲をＣＤにしてだしてる。そのなかにはってもじみでめだたないお歌もあるの。その曲をみっちゃんいがいのみんなに教えるわ。そして、みんなでとってもたのしそうにその歌をがっしょうするの。ハモリとかりんしょうなんかのテクニックもつかってね。みっちゃん、エンカしかしらない。ついてこられない。みんなとってもたのしそう。でも、みっちゃん一人。いっしょにあそべない。とってもさみしい。くやしい。涙でてくる。どう、これ」

　とっちゃんは腕を組んで目をつむった。

「うん。とってもいいかんがえだ。でもCDでているEMIちゃんの曲ってのは問題があるなあ」

「え、どうして」

「じつはね、みっちゃんはEMIちゃんの〝かくれファン〟なんだ」

「うそっ」

「EMIちゃんのみずぎしゃしんしゅうをなんさつかもってて、ニタニタわらいながらみてたのをしってるんだ。ヨダレが出てたよ」

「げっ、おぞましい」

「きっとEMIちゃんのCDももってるとおもうんだ。六百万枚もうれたんだものね」

「そんなあたしのパンツをぬがすことができて、さぞやうれしかったでしょうね」

「ぴんこだちになってたとおもうよ」

「なに、それ」

「いや、なんでもない。とにかく、すきな子ほどいじめたくなるんだ。これはこどものとくちょうだよ」

「じゃあ、とっちゃんがあたしや静ちゃんをいじめないでやさしくしてくれるのは好きじゃないからなのね」

「ちがうってば。そりゃ、ぼくだって男子だからEMIちゃんとか静ちゃんのスカートのなか、みたいとはおもうよ。でもぼくにはそれをおさえる〝りせい〟ってものがあるんだ」

「みっちゃんにはそれがないのね」

「うん。ないんだ」

静が言った。

「EMIちゃんのCDがダメ。ほかの人の曲でしかもだれもしらない曲。どうすればいいの。わたし、かんこくの歌なら知ってるけど」

「ぼくのつくった曲があるよ」

静が目を見張った。

「え。とっちゃんてさっきょくとかさくしとかもするの」

「うん。この島にきてからも一曲つくったよ」

EMIも驚いて、

「がっきもないのに？」

とっちゃんはコンピュータのアプリケーションを切り換えた。

「知ってる？　この山田さんは歌も歌うんだよ」

とっちゃんが山田さんのキーボードを押すと「プー」というオルガンのような持続音が鳴った。

「じゃ、この島にきてつくった『砂の国』という歌を歌うから、聴いておぼえてね」

とっちゃんは山田さんで四小節ほど前奏を弾いた後、歌い始めた。透明な美しい声だった。

♪教えておくれ
教えておくれ
遠い遠い蜃気楼の
風吹く街角を
おまえの国を

さらって行って
さらって行って
痛い痛い砂嵐の
風吹く街角へ
おまえの国へ

片目を閉じれば
世界は夕暮れ
淋しい気持ち
両目を閉じれば
世界は真夜中
手を離さずに

忘れておくれ
忘れておくれ
暗い暗い日の出前の
風吹く街角を
私の国を

一緒に出よう
二人で出よう♪

簡単なコード展開だがどことなく哀調を帯びたメロディアスな曲だった。EMIも静も目を閉じてこの曲にうっとりと身をゆだねながら聴いていた。演奏が終わっても三秒ほど目をつむったままだった。

やがてEMIが目を開いて言った。

「すごい。とってもいい曲。とくにサビの〝片目を閉じれば〟っていうとこ。すごくステキ。そうね、ここを男の子と女の子とでかけあいにして、〝手をはなさずに〟のとこをハモればいいんだわ。よしっ、今から練習しようよ」

「あの……」

と静。

「なに」

「かっちゃんも呼んでこないと意味がないと思うんだけれど」

「あ。そりゃそうね。みっちゃんだけをシカトするんだものね。よし、あたし呼んでくる」

とっちゃんが、

「うまく言ってつれてくるんだよ」

「だいじょうぶよ。あたし、おいろけでせまるもの」

そう言ってEMIは唇をキスの形にすぼめて目をつむって見せた。

ＥＭＩがリビング・ルームに行ってみると、だだっ広い居間のソファに座って、かっちゃんは一人でマンガを読んでいた。

「かっちゃん、何よんでんの」

「え。ああ。『少年ジャンプ』だよ。なんねんかまえの」

「そんなもの、どうして持ってきたの」

「ううん。まえにここにきた人がおいていったみたい。一〇二のへやにいっぱいあるよ」

「おもしろい？」

「あんまり」

「みっちゃんといっしょじゃないの」

「それなら、みっちゃんはね、おひるごはんのあと、おひるね」

「それなら、マンガなんかよんでないで、あたしたちとあそぼうよ」

「うん、いいよ。なにしてあそぶの」

「いまね、とっちゃんと静ちゃんとでお歌を歌ってるの」

「お歌？」

ＥＭＩはかっちゃんの向かい側のソファに深々と腰を降ろすと、ゆっくりと足を組んだ。鹿のようにひきしまった太腿が三分の二ほど露わになった。かっちゃんは目のやり場に困って、また少年誌に目を落とした。EMIはさらに言葉を続けた。

「とっちゃんのつくった『砂の国』っていう曲なの。とってもきれいな曲よ。みんなでいっしょに歌っているとすごくたのしい。ねえ、かっちゃんもいっしょに歌おうよ。一人でマンガなんかよんでるより、ずっとおもしろいよ」

「うん。でも、ぼく、歌はヘタだからなあ。ああみえて、みっちゃんのほうがずっと歌はうまいんだ」

「ヘタでもいいのよ。静ちゃんだってあんまりうまくないのよ。ねえ、いっしょに歌おうよ。ねえってば」

「うん。わかったよ。いくよ。それより」

とっちゃんはまた目を伏せた。

「EMIちゃん、きのうのこと、ごめんね」

「え。ああ」

「みっちゃんがあそこまでひどいことするとはおもっていなかったんだ。みっちゃんに手をかしてEMIちゃんにとんでもないことをしてしまった。EMIちゃん、ごめんなさい。ほんとにあやまるよ」

「いいのよ。かっちゃん、わるくないもん。わるいのはみっちゃんだけよ。かっちゃんも〝ぴんこだち〟になってたの」

「えっ。そんなことあるもんか」

「何なの、〝ぴんこだち〟って」

「そんなこと、言えないよ」

「男の子って、ヘン」

「ぼくらからみれば女の子だってヘンだよ」

「ヘンでも、ひとつのお歌はいっしょに歌えるわ。さ、いきましょ」

ＥＭＩはやさしくかっちゃんの手を取ってコンピュータ・ルームへといざなっていった。みっちゃんが金もうけの夢を見ている間に、コンピュータ・ルームでは歌のレッスンが始まっていた。


その夜の山海地獄鍋はいつにも増して味が良かった。さっきまでザワザワ動いていたシャコや大ぶりのハマグリ、タコのぶつ切りなどがワイルドに放り込まれていた。黄金色をしたそのスープはこども達の心を陶然とさせる旨味をたたえていた。例によってぷりぷりしたキノコも入っている。

みっちゃんは今夜は皿の三分の二をかっちゃんから奪い取った。そんなことをしなくても鍋はたっぷりと用意されていて、こども達は何度もお替わりをした。

全員がもうこれ以上はニンジンの一片も入らないという満腹状態になって、お腹のあたりを撫でさすった。ことにみっちゃんのお腹は寺にある地獄絵図の餓鬼のようにぽこんと張り出していた。

「ああ、くったなあ」

みっちゃんはそう言うと「ごぷっ」と盛大なゲップをした。

「さて、消灯まで何をする。腹ごなしにすもうでもとろうか。静ちゃんとEMIちゃんのおんなずもう。マワシいっちょうで。おっぱいがぷるんぷるん。ま、そんなにおっぱいないか。きみら、こどもじゃからな」

「あたしはあるわよ」

EMIがきっぱりと言い放った。

「みっちゃん、あたしのみずぎしゃしんしゅうもってるんだってね。だったらわかるでしょ。あたしはバスト八十六よ」

みっちゃんは少しひるんだ。

「十さいでチチが八十六センチもあるのか」

「そうよ、悪かったわね」

とっちゃんが割って入った。

「まあまあ。おっぱいのことでもめないで。それよりどうかな、みんなで歌でも歌わない？　キャンプ・ファイアーみたいなかんじでさ。きっとたのしいとおもうんだ」

ＥＭＩが即座に、

「さんせい。でもなんの歌にする？」

「みんながしっている歌じゃなきゃね。んーと。『砂の国』なんかどうだろう」

静が食後のお茶を飲みながら、

「『砂の国』わたし歌えます。ＥＭＩちゃんは？」

「もちろん。バッチリよ。あたし、ハモで五度うえをとるわ。で、かっちゃんは？」

かっちゃんはうつむいて小さな声で答えた。

「ぼく、知ってる、その歌」

とっちゃんがみっちゃんに尋ねた。

「みっちゃんだって知ってるよね、『砂の国』。あんなにヒットしたんだもの」

みっちゃんは唇を「への字」にした。

「『砂の国』？　そんなものはわしはしらない。しりたくもない」

「いいよ。だれだって、さいしょはしらないんだから。ぼくたちが歌うから、みっちゃんはそれをきいてついてきたらいいんだよ」

「わしは人のあとについていくのはきらいだ」

「でもね、みっちゃん。たかが歌じゃない。みんなで歌ってたのしもうよ」

「ふん。歌いたきゃかってに歌ってろ」

「じゃあ、いくよ」

とっちゃんが、

「ワン・トゥ・スリー・フォー」

とカウントを取った。みっちゃんを除く全員が一斉に歌い出した。

♫教えておくれ
教えておくれ
遠い遠い蜃気楼の
風吹く街角を
おまえの国を♪

EMIがメインのメロディの上に五度の和声を使ってきれいにハモってみせた。残りの三人は主旋律を声を張り上げて歌った。かっちゃんはちょっとピッチがずれていたが、それでも気にせずに力一杯歌った。みっちゃんはふてくされて耳の穴の白い毛をぶちっぶちっと抜いていた。

二番が終わり、サビの部分に入る。

男子が、

♫片目を閉じれば♪

と歌うと、女子が、

♫世界は夕暮れ♪

そして男女二部のハーモニーで、

♫淋しい気持ち♪

アカペラの美しい合唱がダイニング・ルームの石膏ボードの壁に反響してかすかなリバーブを醸し出していた。
院長と井出ちゃんは突然始まったこのコンサートに驚き、そして聴き入っている。と、突然みっちゃんが食卓の上に跳び乗った。そして、渋い、味のある声で歌い始めた。

♫教えておくれ
教えておくれ
遠い遠い蜃気楼の
風吹く街角を
おまえの国を♪

かっちゃんもとっちゃんもＥＭＩも静も院長も井出ちゃんも、唖然《あぜん》とした。口がぽかんと半分開いていた。

みっちゃんの歌は、音程も歌詞も正確で、しかも歌に微妙な小節があり、かつ人生の辛酸をなめ尽くしたような塩辛声。まるで初期のボブ・ディランやトム・ウェイツを聴いているようだった。

♫片目を閉じれば♪

とみっちゃんはいぶし銀のヴォーカルでサビの冒頭を歌った。

皆は仕方なく、

♫世界は夕暮れ♪

そして、

♫淋しい気持ち♪


の部分で、みっちゃんは見事に上のパートを取って、ハモってみせた。

歌が終わった。院長と井出ちゃんがぱっちぱっちぱっちと熱狂的な拍手を贈った。


「きみたちのコンタンはわかっている」

コンピュータ・ルームでかっちゃんがそう言った。

「みんなでみっちゃんをなかまはずれにしていじめようっていうんだろ」

とっちゃん、EMI、静が黙り込んだ。

「それなら、あのさくせんはダメだよ。EMIちゃんにもチラッといったけど、みっちゃんは歌がとってもうまいんだ。一回きいたら一ぱつでおぼえるんだ。だから歌でみっちゃんをいじめようなんて、みっちゃんにとっては〝まってました〟なんだよ」

「うーん。歌がダメなら、どうすればいいの」

EMIが頰に手をついて考え込んだ。

一同は沈黙を守った。

そのとき、とっちゃんの頭に閃《ひらめ》くものがあった。

「歌だからしっぱいしたんだよ。これが〝ヒト〟だったらどうだろう」

「ヒト？」

静が不審気にとっちゃんを見た。

「そうだよ。この四人にだけきょうつうの、かくうのヒトをつくるんだよ。たとえば……」

とっちゃんは部屋を見渡して、ぽつんと一台だけ置かれているMACに目を止めた。

「そうだ。たとえば〝山田のおじさん〟っていう人をかってにつくっちゃう。ぼくたちはみんな山田のおじさんのしりあいでよくしっている。でも、みっちゃんはそんな人しらない。あたりまえだよ、いないんだからね。でもぼくたちは山田のおじさんのはなしをむちゅうになってしゃべっている。げらげらわらったりしてとてもたのしそうにしている。けど、みっちゃんはこのはなしにははいってこれない。みっちゃんはひとりぼっちになる。とてもさみしい。どう、これ」

女子が拍手した。かっちゃんは拍手には加わらなかった。そして言った。

「そんなの、みっちゃんあんまりかわいそうだよ。みんなとはなしができないなんて。

みっちゃん、すごくわがままだけど、ほんとはわるい子じゃないんだよ。いいところもたくさんあるんだよ。そのいいところをひきだしてあげずにむしするなんて、ちょっとひどすぎるとおもうんだ」

　EMIが椅子から立ち上がって叫んだ。

「みっちゃんは、あたしのパンツをぬがしたうえにほっぺたをなぐったのよ。そんな子のどこに〝いいところ〟があるの。あたしはぜったいにゆるさない。かっちゃんだってみんなのまえでパンツをずりさげられておちんちんをみられたらいいのよ。その小さなおちんちんを。どんな気もちがするか。そしたらあたしのうらみもわかるわ」

「うん。それはそうだろうとおもうよ。でもなあ、しかえしするにも、やりすぎってものがあるとおもうんだ」

「〝たすうけつ〟できめよう。〝山田のおじさんごっこ〟にさんせいの人、手をあげて」

　とっちゃんが言った。EMI、とっちゃんが勢いよく手を挙げ、静は名の通り、静かに手を挙げた。

　かっちゃんが一人残った。

「かっちゃんはどうなの」

　とっちゃんが訊いた。かっちゃんはぼそぼそと答えた。

「ぼくもね。はんたいってわけじゃないんだ。ただ、いっていのレベルをこえたらいけないとおもう。たとえばみっちゃんがさみしさのせいで〝じさつ〟してしまうようなことになったら、それこそとりかえしがつかない。

とっちゃんが微笑んで答えた。

「わかってるよ。そんなひどいことはしない。やくそくするよ」

とっちゃんはMACに向かってスウィッチを〝ON〟にした。

「さあて、〝山田のおじさん〟は、どんなおじさんかな」

「としはいくつくらいだろう」

とEMI。静が、

「さあ、〝おじさん〟なんだから四十二、三さいなんじゃないの」

「どんな顔をしているの」

「こぶとり。それもあお白い顔をしていて、いつもむくんでいて、指でおしたら指がズブズブッとはいってしまいそうな顔」

「背はたかいの、ひくいの？」

「百七十センチくらい」

「で、山田のおじさんの口ぐせとかとくちょうは」

「ええっと、それは」

一同、目を宙に据えて考え出した。しばらくしてＥＭＩが突然、

「大ぐい」

と叫んだ。皆がＥＭＩの顔を見た。ＥＭＩは少し興奮しながら話を続けた。

「山田のおじさんはね、すっごい大ぐいなの。そのしょうこにきょねんおととし、わんこそばたいかいにでて二回ともゆうしょうしているの。二百二十八はいもたべたのよ」

「そいつはおもしろいな。このあたりをもっとふくらませよう」

静が言った。

「千五百円で食べほうだいのおすしやさん『ひらめ屋』に行って六十二さらたべた。一さらが二こだから百二十四こたべたんだわ」

「いいぞ、いいぞ静ちゃん。もっとでないの」

「んーとね。わたしのお父さんは大学のセンセイをしていたから、がくせいだった山田のおじさんはときどきあそびにくるの。れいぞうこをかってにあけて、なかにあるたべものをぜんぶたべつくしてしまうの。あとにはキャベツの葉一まいのこっていない。でもお父さんは山田のおじさんのことを気にいっていて、おじさんがいつも青白い顔をしているもんだから〝おい、そこの白うるり〟なんて呼んでからかっていたわ」

「神楽坂《かぐらざか》の『神楽飯店』。あそこには『一升チャーハン』っていうのと、メンが三玉はいったジャンボラーメン三ばいコース。それに『百こギョーザ』っていうのもあるの。どれも一じかんで食べきったらタダになる上に、中国のおさけがもらえるの。山田のおじさんは、『一升チャーハン』を食べきったうえに、そのあとワンタンメンを一ぱい食べたのよ」

「いいな、いいな。ほかにもっとない？」

「とっちゃんこそ、じぶんでなにかかんがえなよ」

ＥＭＩが唇をとがらせた。とっちゃんは困った顔になったが、すぐに思いついたらしく、口を開いた。

「山田のおじさんはたべものもそうだけど、ビールをとてもたくさんのむんだ。ある日にはあさからのんでて、かんビールを百四十四ほんのんだ」

「百四十四ほん？」

ＥＭＩが素頓狂な声をあげた。

「うん。百四十四ほん。そしてのみおわったあとに五分間、おしっこをした」

全員が笑い転げた。

笑いながら静が言った。

「おかしい。でもね、たべものとかのみもののはなしだけじゃ、おくゆきがないんじゃない。むずかしくいえば、〝リアリティ〟にかけるとおもうの」

「うーん」

とっちゃんはアゴに手を当てて、しばし目を閉じた。五秒ほど考えた末、

「山田のおじちゃんはね、こどもをからかうのがだいすきなんだ。たとえばぼくがテレビを見ているとちかづいてきて、〝こら。テレビはほうしゃのうがでているから見ちゃあいかんのだぞ〟なんていう、ふるういオヤジギャグを言うんだ」

「オヤジギャグれんぱつおじさんなのね」

ＥＭＩがうなずいた。

「それならこういうのはどうかしら。山田のおじさんはこどもとであうとかならず、頭の上にカッパみたいに手をおいていうの。〝頭のさきまでピーコピコ〟」

「なに、それ」

とっちゃんが不思議そうな顔をして尋ねた。

「しらない。あたしのお父さんがまだアル中でなくてまともだったころ、よくこれをしてあたしと弟をわらわせてくれたの。むかしの〝若井はんじ・けんじ〟っていうマンザイの人のギャグなんだって」

「ふうん。それ、おもしろい。よし、今までのデータをわすれないようにコンピュー

タにうちこんでおこう。おもいついた子の名前とおもいついた日にちもいれて」

とっちゃんはMACの山田さんに向き合うとブラインド・タッチでキーを叩き始めた。物凄い速さで、天才少年ヴァイオリニストが『悪魔のトリル』を弾いているような、神業だった。

四人のこどもの中にたった一人、一言も発言していない子がいた。

かっちゃんである。かっちゃんはただ聞いているだけで、ずっと固く口を閉ざしていた。

とっちゃんはそんなかっちゃんに不満顔だ。

「かっちゃんもだまってないで、なにかアイデアをだしなよ」

かっちゃんはうなだれた。

「そんなこと、ぼく、できないよ」

「みっちゃんにえんりょすることなんかないんだよ。ほんのちょっとしたあそびだよ」

かっちゃんは顔を上げた。

「それならひとつだけあるけど」

「なに、なに、どんなの」

「口ぐせなんだよ」

「口ぐせ？」

「ぼくの小学校のときの先生の口ぐせなんだ。おじいさんなんだけど、いっつもこくばんになにかかいたあとに、〝よろしいですかあ？〟っていうんだ。こくばんにかいてなくても、しゃべってるときに、コトバのきれめになると、〝よろしいですかあ？〟。たかいかすれた声で。それがおかしいんで、うちのクラスではやったんだ。きゅうしょくのスープをそそぐときにも〝よろしいですかあ？〟、ドッジボールをはじめるときにも〝よろしいですかあ？〟、女の子のスカートをめくるときにも〝よろしいですかあ？〟」

ＥＭＩが言った。

「ちっともよろしくないじゃん」

とっちゃんは、

「それはおもしろいね。〝よろしいですかあ？〟これを山田のおじさんの口ぐせにしよう。はは。だんだんおもしろくなってきたね」

とっちゃんはそのデータをコンピュータに打ち込んだ。

「おもしろい……かなあ」

と、かっちゃんが言った。

「おもしろいわよ」

「おもしろいわよ」

ＥＭＩと静が声を揃えて言って、ＭＡＣの画面を覗き込んだ。


〈五〉


「遠足に行こうかと思うんだ」

院長が朝食のホットサンドを口に運びながらこども達に言った。

「えんそく？」

こども達の目が院長の口元に注がれた。

「ああ。まあ、遠足というと聞こえはいいが、実際にはちょっとした重労働なんだがね。君たちに手伝ってほしいんだ」

とっちゃんが尋ねた。

「じゅうろうどうって、なにをするんですか」

院長はコーヒーを口に運びながら答えた。

「西に行ったところの森にね、立ち枯れの大きな橅《ぶな》の木がある。あれを切り倒して、このクリニックまで運んで帰る」

「なんのためにそんなことをするんですか」

「薪《まき》をね、作るのさ」

「マキ……ですか」

「ああ、リビングに暖炉があるだろう。あれは決してただのインテリアではなくて、ちゃんと煙突もついた本物の暖炉だ。冬にはね、あそこに薪をくべて火を焚くんだ。電気を消してみんなで暖炉を囲んで静かに話をしたり、歌を歌ったりする。キジが捕れたときにはそれを薪の火で焙ったりする。いいもんだよ暖炉は」

「すてき」

と静が言った。

「キジが食べたい」

とＥＭＩが言った。

「立ち枯れの木だとはいってもね、生気はまだ残っている。だから今のうちに割って薪にして干しておくんだ。初秋の頃にはちょうどいい乾き具合になってる。もっともその頃には君たちはとっくにこの島を卒業しているけれどね」

「そつぎょうかあ」

とっちゃんが少し淋しそうに呟いた。

「こどもはみんないつかは卒業するもんだよ」

院長は優しく答えた。

「森に行けばウサギやリスも見られるぞ。小鳥もたくさんいる。森の空気にはフィトンチッドといって身体にいい成分がいっぱい含まれている。お弁当を持ってみんなで行こう。楽しいぞ。井出ちゃん、お弁当は何ができるかな」

ラジオを聴いていた井出ちゃんは、イヤホーンを耳から外してにっこりと笑った。

「かりかりに揚げたチキンカツ・サンドなんかはいかがでしょう。それにフルーツ・サラダ。ジャーには冷たいミルクティーをいっぱい入れて」

「やっほう」

とEMIが叫んだ。こども達の間にうきうきとした気分が流れた。

かっちゃんが尋ねた。

「ブナの木をきりたおすって、やっぱり、きこりみたいにオノできるんですか」

院長は笑った。

「そんなことをしてたら日が暮れてしまうよ。チェーンソーを用意した。さっき物置き小屋から取ってきたんだ」

院長は少しの間、ダイニング・ルームを離れると、ずっしりと重たげな電動ノコギリを手に戻ってきた。院長が手入れしたのだろう、ぴかぴかに光っていた。

「わあ、すげえや」

こども達が叫んだ。院長はそれを膝に置くと、

「これは危険なものだからね、簡単な機械だけれどいくつも安全対策が加えられている。ほらね、これが〝安全トリガー〟だ。これを切らない限り機械が作動することはない。このボードが〝ハンド・ガード〟で万一手をすべらせても刃に触れないようになってる。これが〝スターター・ハンドル〟でこれが〝スロットルコントロール〟だ。どうだい、簡単な仕組みだろう」

「ね。院長先生、うごかしてみてよ」

とみっちゃんが言った。

「よし」

院長は、安全トリガーをOFFにすると、スターター・ハンドルを回した。

ヴイイン
と低い地鳴りのような音がして、刃が動き出した。刃は回転しつつ鈍色《にびいろ》の光を放った。

こども達は目をまん丸にしてぱちぱちと拍手を送った。

井出ちゃんがにこにこして言った。

「森に行かれるんなら、今日が最適の日だと思いますわ。とってもいいお天気だし。今、ラジオを聴いてたら、台風が発生したらしいんですよ」

院長はチェーンソーのスウィッチを切ると尋ねた。

「台風？　こっちへくるのかね」

「まだわかりません。フィリピン沖合で発生した台風十三号で、日本の北北東へ向かっているそうです」

「大きいのかね」

「中心で九百五十ヘクトパスカルですから、けっこう大きい方です」

「そうか。今日、明日は大丈夫だろうが、困ったな、魚を捕りに行けんな」

「鹿のお肉のシチューでも作りますわ」

「たまにはそれもいいね」

院長はこども達に向かって言った。

「よし、三十分後に出発だ。下枝が多いからきちんとした長ズボンをはくように。足元も悪いからバッシュのひもをちゃんと結んではくんだよ。それと、ストロー・ハット。汗をかくからタオルも忘れないように。用便もなるべくすませておくように。以上」

こども達は踊るような足取りで自室に着替えに向かった。

森の中のあるかなきかの獣道を一隊は進んでいった。井出ちゃんを除いた全員である。

陽差しが強い。

歩いているだけで汗がたらたらと流れ出し、首に巻いているタオルはたちまちのうちにしんなりと湿り気を帯びてきた。

みっちゃんが、

「ぼくはつかれた。ひとやすみしよう」

とゴネだした。院長が、

「みっちゃん、休むまでもないよ。ほら、あそこに見えてるだろう。あの樵の木だ」

指さす方面に、たしかに木があった。葉はついていない。突っ立ったまま枯れている。全長十七、八メートルはあるだろうか。

「よし、一服しよう」

全員が枯れ木のうねうねとした根っこに腰を降ろして、ジャーの紅茶を回し飲みした。院長はロスマンに火を点けて深々と吸い込んだ。

森の中は静かなようでいて、よく聞くといろんな音がした。葉ずれの音、小鳥の鳴き声、セミの声、風の音。木もれ陽を縫うようにそよそよと風が吹いていた。

「わたし、こんなに汗をかいたのは久しぶり」

と静がタオルで首すじを拭きながらＥＭＩに言った。

「ほんと。かえってシャワーあびたらきもちいいだろうな」

院長が笑って言った。

「おいおい。今からそんなこと言っててどうする。行きはいいんだよ。帰りがたいへんなんだ。なにせ、この木を〝持って帰る〟んだからね。さて、そろそろ始めるか。みんな立って」

院長はかついでいたチェーンソーを肩から下ろすと、

「今から切るぞ。こっちの方から切っていくから、木はあっち側に倒れる。だからみんなあっち側へは絶対に行かないように。ここにかたまって見ていなさい」

院長はチェーンソーをぶぅぃぃぃんと作動させると刃を木の根の方に当てた。ばりばりばりと物凄い音がして、刃は木の中に少しずつ喰い込んでいった。もちろん一気に引き切れるものではない。院長は木の側面の何ヵ所かに刃を当てて慎重に切り込んでいった。木の粉が舞い上がる。その粉はぼたぼたと汗をしたたらせている院長の顔や首すじに貼りついた。

木の胴を五分の四くらいまで切り進んだとき、〝めきり〟と音がした。

「よし、倒れるぞ。みんなこっち側から木に身体を押し当てて押すんだ」

皆は指示通り木に身体を預けると、力一杯に押した。

木は〝めりめり〟と鈍い音をたてて、ゆっくりとかしいでいき、ついにはどおんと地響きをあげて地上に倒れた。

「やった、やった」

　こども達は手を叩いて喜んだ。

「よし。次は無駄な枝をカットしていくぞ」

　院長は倒れた木にほとんどまたがるようにして、大樹から突き出した何十本という枝をカットした。木は裸ん坊の丸太になった。

「これを適当な長さにカットしていくからな」

　院長はまた長い時間をかけて、木を一メートル余りの長さにカットしていった。地上には輪切りにされた十数本の丸太が転がった。

「かっちゃん、ロープを持ってきてくれ。こいつを一個ずつ縄でくくり上げるぞ。みんなも手伝ってくれ。こういう風に両端を縛って、そのロープの余りをこういう風に結ぶ。肩にひっかけられるようにするんだ」

　皆一所懸命に木をロープで縛った。ただしみっちゃんは、

「おいしょおっ」

　と掛け声だけは大きいものの、かなり手を抜いているようだった。

　やがて全工程が終わった。みんなのタオルは汗でぼとぼとになっていた。

「よし、この場はこれで完了だ。お待ちかねのお弁当タイムにしようか」

　院長が言うと、こども達の間に歓声が湧き起こった。皆空腹をとっくに通り越して

いた。

　バスケット・ケースが開けられる。紙ナプキンの中から井出ちゃんの作ってくれたチキンカツ・サンドが出てきた。全員、しばらくは物も言わずに頬張る。しっとりとしたパンの中に、注意しないと口の中が切れるくらいにカリッと揚がったカツが入っていた。ぴりりとマスタードが効いている。ジャーの中の冷たいミルクティーをこくこく飲む。フルーツ・サラダはオレンジとアボカドとパパイヤだった。アリの行列があっという間に現われて、地上に落ちたパン屑を拾い集め始めた。陽の光が粉のようにさらさらと降り注いでいる。満腹になったみんなは草の上に寝っ転がってお腹をさすった。

　ごわわ
　と変な音がした。それはみっちゃんのイビキだった。

　三十分ほど休んだ後、院長が立ち上がって言った。

「さあて。じゃあクリニックへ帰るぞ。この丸太を引いて帰るんだ。女子は一人一株、男子は一人二株、いいね」

　とたんにみっちゃんが言った。

「院長先生。ぼくはさいきん〝ようつう〟がひどいんだ。かんべんしてもらえませんか」

「ずるうい」

ＥＭＩが唇をとがらせた。

「女の子だって、一人一つずつもつのに、みっちゃん、なによ。なんでこどものくせに〝ようつう〟なのよ」

「まあまあ」

と院長。

「みっちゃん。これはね、引きずると思うからたいへんそうなんだ。引きずるんじゃなくて、ほらこうやってコロコロッと転がしながら前へ進めば思ったよりずっと楽なんだ。ほら、やってごらん」

みっちゃんは何かぶつぶつ口の中で言いながら、丸太に絡まったロープを引いてみた。

「ふむ。おもったよりはおもくない。でも、つぎのふゆにくるやつのために、なんでわしがこんなものをひかんといかんのだ」

そう言いながらもみっちゃんは皆の後からぶつぶつ文句をたれつつ付いてきた。

「な。思ったより楽だったろう。とりあえず一服して、今度はこいつを叩き割って薪にするんだ」

　と院長が言った。みっちゃんは、

「え。まだあるのか。わしはもういやだ。こんなの、シベリヤのしゅうようじょのほうがまだマシだ。わしはへやにかえってねる」

　そう言うと、さっさとクリニックの中へと去ってしまった。

　その後ろ姿を見やりながら院長は苦笑いして、

「協調性ゼロ、ととりあえず通知表には書いておこうかな」

　クリニックの表に集められた丸太を、院長はチェーンソーを使ってさらに三十センチほどの長さに切り分けた。

　院長はその後物置き小屋に行って何やら物色していたが、やがて両手に二丁の斧をぶら下げて帰ってきた。ずっしり重そうだった。

「これからこの丸太を薪に割っていくぞ。こういう風にやるんだ、見ててごらん」

　院長は木の丸い切り口を上にして、しばらく息を整えた後、斧を頭上に振りかざして、

「はっ」

　と振り下ろした。丸太は見事にすぱんっと割れた。一同、ほーっと溜め息をついて拍手した。院長はなおも割れた木を地面に立てると、すこんすこんと軽い調子

で割っていった。たちまちのうちに八本の薪木ができた。

院長はタオルで汗をぬぐいながら言った。

「要はね、コツなんだが、変な力を入れないことだ。力で割ろうとしない。腕や腰は斧の介添え役くらいの気持ちでもって、すっと振り下ろす。斧が木に当たる瞬間に全ての重心がそこに集まるようにして。とっちゃん、さ、やってみたまえ」

とっちゃんはもう一本の斧を手にした。

「ずいぶん重いもんですね」

「そうだ。その重さを腕で支えようとしないで。重さ自体がそのまま木との接触部分に降り注ぐようにする。腕は遠心力をつけるためのただの支えだ。いいね。やってごらん」

とっちゃんは新しい丸太を地面に置くと、しばらくコンセントレイションしていたが、やがて斧を振り上げ、円を描いて振り下ろした。

かっ
という音がして、斧は丸太の端っこに少し喰い込んだだけだった。

「あっ、つう」

と、とっちゃんはうめいた。

「うでからかたからこしから、ぜんぶしびれちゃった」

「ダメねえ、コンピュータぼうやは。あたしにかしてごらんなさいよ」

とEMIが前に出た。斧を受け取ると思わず、

「おもっ」

と言ったが、それでもくじけずに、

「こんなものはね、リズムよ。リズムとこしのバネよ」

言うなり間髪を入れずに斧を振り下ろした。

ぴしっ
といい音がして、斧は丸太の真正面に喰い込んだ。そしてそこから下に向かって少し亀裂ができていたが、割れるまでには至らなかった。

「おおっ、EMIちゃんは筋がいいぞ」

と院長が手を叩いた。

「さ、今度は静ちゃん、いってみよう」

静は激しく首を振った。

「わたし、できません。とてもじゃないけどできません」

「なに、できなくって当たり前なんだよ。やってみるのとやってみないのとでは、天と地ほどの違いがあるんだよ」

静は渋々斧を受け取ると、まずその重さにひるんだ。それをむりやりに頭上に持ち

上げると、その重さのために身体のバランスが崩れ、そのままとっとっとっとっと後ろにさがると、すてんと尻餅をついてしまった。

「だから、やだっていったのにい」

静は半分べそをかいて笑った。

「よしよし、気にすることないよ。最後はかっちゃんだ。かっちゃんは見せてくれるぞお。な、かっちゃん」

かっちゃんは斧を受け取ると、それを両手に持ってみた。手入れはあまりされていない。黒光りする中に一ヵ所錆《さび》が浮き出ていた。刃も長い間研がれていないのだろう、欠けているところがある。

「こんなものでマルタがわれるんだろうか。でも院長先生はやっていた。ひょっとするときれあじなんかはかんけいないのかもしれない。オノのおもさと、それから木の……木の」

かっちゃんは胸の前で斧をびゅいっびゅいっと振り回してみた。重心がどういう風に移動するのか、何となくわかったような気がした。そして目の下にある丸太を見つめる。育った所の太陽光の向きのせいなのだろう。丸太の年輪には稠密《ちゅうみつ》なところとそうでないところがあった。見ているとその境目に木の「目」のようなものがあって、それは「ここを打って」と言っていた。

「ぼくはぶあつい木のいたをなんども足でけりわったことがある。いつだろう。なぜだろう。どこでだろう」

かっちゃんは両手で斧の柄を短く握り、振りかぶってその「目」めがけて一気に鉄塊を叩き落とした。

つむっていた目をゆっくりと開くと、丸太は元の姿のままだった。「かんっ」と手応えはあった。

〝どうしたんだろう〟

かっちゃんはその丸太に手を伸ばし、少し触れた。途端に丸太は静かにふたつに割れた。

院長もとっちゃんも静もＥＭＩも、口を半ば開いてその様子を見守っていた。

それからの午後の時間、院長とこども達は薪割りに専念した。院長とかっちゃんがこつこつと丸太を割っていき、静とＥＭＩはできた薪を十本ずつヒモでくくり上げた。とっちゃんはその束を物置き小屋の裏に運んだ。物置き小屋の裏には青い養生シートが張りかけてあって、雨が来ても大丈夫なように工夫されていた。

夕凪があがって涼しい風が吹いてくる頃には作業はすっかり終わり、陽は西に傾いていた。院長はこども達を見回して言った。

「よし。作業完了。みんなよく働いたね」

クリニックに戻ると井出ちゃんがズッキーニを刻んでいた。

「あら、もう終わったんですの。早かったですね」

「こども達が一所懸命働いてくれたからね」

「もうすぐお夕食ですよ」

「ああ。君たちはシャワーでも浴びといで」

こども達はシャワーを浴びて、十分後にさっぱりとした顔で戻ってきた。

「ね。院長先生」

ＥＭＩが言った。

「ん、何だね」

「あたし、だんろでマキをもやしてみたい」

「おやおや。この夏の真っ盛りにかね」

「クーラーをうんときかせればへいきよ」

「そうだね。君たちの努力の賜物《たまもの》だものな。よし、とっちゃん、薪を持っておいで」

「はい、わかりました」

とっちゃんはいそいそと薪を取りにいった。

院長は戸棚から発泡スチロールの箱を取り出すと、それをばりばりと手で引き裂いた。

「院長先生、それ、どうするんですか」

と静が訊いた。

「薪の火つけ役に使うんだよ。普通は小枝とか新聞紙をまず燃やして薪に火をつけるんだがね、この発泡スチロールというのも意外と効率がいいんだよ」

とっちゃんが薪をひと束下げて帰ってきた。いつの間にか夕闇が垂れ込めていて、窓の外はかなり暗くなっていた。

「井出ちゃん、部屋の電気を消してくれ。暗い方がムードが出るだろう」

「はい、わかりました」

井出ちゃんがルーム・ライトを消すと部屋は薄闇に満たされた。

院長は暖炉に発泡スチロールの小山を築くと、その上に薪を五本互いに寄り添わせるようにして立たせた。ライターで火を点ける。発泡スチロールはちろちろと青白い炎をたて始めた。こども達は息を呑んで見つめている。そのうちに、ぱちっと音がして薪がはぜた。薪の下の方から橙色《だいだいいろ》の炎が少しずつ広がり、煙がたくさん出始めた。

「やった。せいこうだ」

かっちゃんが叫んだ。

炎は徐々に勢いを増し、やがて暖炉の中はオレンジ色の灯りに包まれた。こども達はうっとりとしてその炎に見入っていた。

井出ちゃんが長い鉄の串を五本持って近づいてきた。串の先の方には丸い白っぽい団子が四つほど刺されていた。

「これを焙《あぶ》るといいわよ」

こども達は串を一本ずつ手に取ると井出ちゃんに尋ねた。

「井出ちゃん、これはなに」

井出ちゃんは微笑んで、

「ウサギのお肉のつみれよ」

「ウサギ!?」

EMIが素頓狂な声を出した。暖炉の炎の上に鉄串をかざしながら、

「あたし、ウサギなんてたべたことない」

「そんなことはない。しょっちゅうたべてるよ」

と、とっちゃんが口をはさんだ。

「うそ」

「うそじゃないよ。よくソーセージなんかのげんざいりょうのところに、ウシ、ブタ、とかあって、さいごに〝その他畜肉〟ってかいてあるだろ。あれ、ウサギだよ」

「ほんとに？」

「うん。ウサギのにくはね、とってもねばりけがつよいんだ。だからソーセージの〝つなぎ〟にはかかせないんだよ」

「しらなかった」

「ぼくたち、しらないあいだにとってもヘンなものをたべてるよ。たとえばオーストラリアからはまいとし何十トンっていう〝カンガルーのしっぽ〟がゆにゅうされているんだ。これもソーセージにつかわれてるんだよ」

「カンガルーたべてるの、あたしたち。あたし、もうソーセージたべない」

話しているうちに串の先のつみれがこんがりと狐色に焼けてきた。香ばしい、いい匂いが漂ってきた。

「ね、院長先生、もうたべてもいい？」

とかっちゃんが尋ねた。

「ああ、もういいだろう」

こども達は暖炉から串を引き抜くと、狐色の肉団子にかぶりついた。

「あちちちち」

かっちゃんが悲鳴をあげた。静が、

「かっちゃん、だめよ。もっとふうふうしてからすこしずつかじらないと」

ウサギの肉は軽くふんわりとしていて何の癖もなかった。みんな夢中になって、あ

っという間にたいらげた。と、ＥＭＩのお腹が急にキュルルと鳴った。ＥＭＩはお腹を押さえると笑って、

「すこしたべたら、よけいにおなかがへってきちゃった」

井出ちゃんがダイニングから顔をのぞかせて、

「あと、二、三分で夕食ができるわよ。誰かみっちゃんを起こしてきて」

「はあい」

とかっちゃんが立って、みっちゃんの部屋の方へ歩いていった。

「みっちゃん、あれからずっとねてたのかしら」

静が誰にともなく言った。ＥＭＩがうなずいて、

「そうよ。ちょっとえんそくして、ちょっと木をはこんだだけで、もうバテちゃったんだわ。口ばっかりたっしゃで、いくじのない子」

やがてかっちゃんに連れられたみっちゃんが眠そうな目をこすりながらやってきた。パジャマ姿のままだった。

「せっかくいいゆめをみてたのになあ。スロットマシンがこわれて、コインがさいげんなくでてくるんだ。そしてぼくのよこにはステーキのさらをもったハダカのきんぱつむすめがたってるんだ」

井出ちゃんが給仕をしながら笑って言った。

「ずいぶん即物的で何のひねりもない夢ね。フロイトが聞いたらどう言うかしら」

みっちゃんは席に着きながら答えた。

「なんてしょうじきな子だっていうんじゃないの」

やがて全員が席に着いた。

「今日はお魚がないので、鹿の肉のシチューですよ。たまには目先が変わってていいでしょう」

「そのシカって、院長先生がとってきたんですか」

と静が尋ねた。院長は頭をかきながら、

「ああ。何ヵ月か前なんだがね。たまには山の中でピストルを撃ってみようと思って森の中を歩いていたら、いきなり目の前に鹿がぬっと顔を出した。仰天して思わずピストルを撃ってしまった。眉間に命中したよ。考えればかわいそうなことをしたもんだが、あんまりびっくりしたもんでね。肉は小分けして冷凍してあるんだが、まだずいぶん残っているよ。たくさん食べてくれ」

「この島にはシカがたくさんいるんですか」

「そんなにたくさんいるわけじゃないが、島の中央部の森に群れをなして棲息している。この島には野犬なんかの天敵がいないからね、増えもせず減りもせずひっそりと草を食べて暮らしているよ。命はありがたいものだ。感謝して食べようね」

とっちゃんが、

「でも、この島にはみずがでないんでしょ。どうしてどうぶつたちがいるんですか」

院長は答えた。

「洞窟の奥にね、秘密の湧き水があるんじゃないか。私はそうにらんでるんだよ」

皿の中にはいつもの山海地獄鍋と違って、とろりとした茶色のシチューが盛られていた。人参やジャガイモ、キノコ、ズッキーニに混ざって、ころりとした肉の塊が六、七個入っている。静はその肉を恐る恐るスプーンで口に運んでみた。奥歯で噛みしめると上品な味わいの肉汁がじゅわっと口の中に広がった。

「とってもおいしい」

それを聞いた一同は一斉にスプーンを取ってシチューに挑みかかった。

みっちゃんははふはふと口で息をしながら鹿肉を一切れ噛み続け、やがて呑み下した。

「うおう。これはうまい。ちょっとたよりないくらいにアッサリしている。サカナもいいけれどやっぱりぼくらこどもにはニクだな」

そして隣りに座っているかっちゃんの方を向くと、

「かっちゃん、わかってるな。わしはきょうはろうどうをしたんでハラペコなんだ。はんぶんよこせよ」

かっちゃんは、

「う、うん」

とうなずくと、シチューを半分みっちゃんの皿にあけた。

それを見ていたＥＭＩは、

「なによ、みっちゃん、それ。あんたろうどうなんかすこししただけで、おひるはグーグーねてたじゃないの。かっちゃんはそのあいだずっとマキわりをしてたのよ。ハラペコなのはかっちゃんのほうよ。シチューかえしてあげなさいよ、この大ぐい！」

「なに、大ぐい？」

みっちゃんがギロリとＥＭＩをにらんだ。

「ぼくは大ぐいなんかじゃない。ぼくがふつうなんだ。きみたちがしょうしょくすぎるだけだ」

「そんなことあるもんですか、この大ぐい。カロリーとるだけムダよ」

「なにをっ」

と、そのとき、とっちゃんが立ち上がった。

「まあまあ。ＥＭＩちゃんのきもちもわかるけれど、ここはきゃっかんてきにかんがえてみよう。みっちゃんはたしかにふつうの子よりすこしおおくたべるけれど、けっして大ぐいなんかじゃないよ。大ぐいっていうのはね、もっとケタがちがうんだ。

ぼくの知りあいで〝山田のおじさん〟っていう人がいるんだけどね、ほんとの大ぐいっていうのはこういう人のことをいうんだ。山田のおじさんはね、きょねん、おととしと〝わんこそば大会〟で二回ゆうしょうしたんだ。二百二十八はいもたべたんだ。二百二十八はいだよ」

「ほら、みてみろ。とっちゃんのいうとおり、ほんとうの大ぐいっていうのはぼくらとはケタがちがうんだ。たとえばむかし、わしがすもうとりのタニマチをしていたころ」

「どうしてこどもがすもうとりのタニマチなんかになれるのよ」

ＥＭＩが突っ込んだ。みっちゃんはむぐっと唾を呑み込んだ。

「……わたし、その人……しってる」

それまで頬杖をついて聞いていた静が口を開いた。

「わたしのお父さん、大学のセンセイをしているから、そのせいとだった山田のおじさんっていう人がいえによくあそびにくるの。山田のおじさんはいえにくるとれいぞうこのなかのもの、それこそキャベツいちまいのこさないくらいにたべつくしてしまうの。それでもお父さんはおじさんのことをかわいがっていて、〝おい、そこの白うるり〟なんてよんでたわ。白うるりってなんのことかよくわかんないけど」

みっちゃんが鼻でせせら笑った。

「おまえらなあ、東京になんにんの人がすんでるとおもってんだ。一千万人だぞ、一千万人。その中でもな、鈴木、山田はイヌのクソっていってな、めちゃくちゃにかずがおおいんだ。そんななかでとっちゃんと静ちゃんのきょうつうのしりあいがいるわけないじゃないか。いくらぐうぜんにしてもだな」

「その山田のおじさんって、どんなかおしてる？」

EMIが静に尋ねた。

「そうね。あおじろいかおしててぽっちゃりしてて、指をあてたらそのまま指がずぶずぶってはいっていきそうな」

「そのおじさんって、ひょっとして飯田橋にすんでない？」

「えっ。そ、そうよ。山田のおじさんは飯田橋のアパートにすんでいるのよ」

「やっぱりそうだ。あたしそのおじさんしってる」

〝山田のおじさんごっこ〟が静かに幕を開けようとしていた。

EMIは言った。

「神楽坂にはね、『神楽飯店』っていうちゅうかりょうりやさんがあって、そこには三つのチャレンジ・メニューがあるの。ひとつは『一升チャーハン』。ごはんが一升つかってあるの。それから『ジャンボラーメン三ばい』コース。めんのたまが三つはいったラーメンを三ばいたべるのよ。そして『百こギョーザ』。どれもせいげんじかんは一じかんよ。これをたべきったらタダになったうえに、中国のおさけがもらえるの」

　とっちゃんが尋ねた。

「その三ばいラーメンっていうのはさ、スープもぜんぶのまないといけないの」

「もちろんよ。一てきのこさずのむのよ」

「それはムリだよ。にんげんの胃には〃きょようりょう〃ってものがあるからさ」

「山田のおじさんの胃は、ふつうの人の胃とはスケールがちがうのよ。山田のおじさんはね、その一升チャーハンにちょうせんして、ペロッとたべちゃったうえに、お店のひとになんていったとおもう？」

　静が言った。

「キャベジンをくれ」

「ブーッ。山田のおじさんはこういったのよ。〃ワンタンメンを一ぱいください〃」

　全員が笑った。

「山田のおじさんはね、つぎの日もそのおみせにいったの。こんどはギョーザを百こたべようとおもって。そしたらおみせのオヤジがね、いったの。〃あんたはもうこないでくれ〃って」

皆が楽しそうに笑っている中、みっちゃんはふてくされた顔で黙っていたが、やがて隣りのかっちゃんに言った。

「けっ。そんなはなし、ちっともおもしろくねえや。なあ、かっちゃん。あしたふたりでさ、つりにいかないか」

かっちゃんはうつむいていたが、やがて顔をあげて小さな声で、

「その山田のおじさんてさあ……」

一同がかっちゃんに注目した。

「ひょっとして、〝かいじょうほあんちょう〟ではたらいている、〝山田一郎さん〟じゃないの」

皆が一瞬息を呑む気配。そしてＥＭＩが、

「そうよ。おじさんのフル・ネームは山田一郎っていうのよ」

静が、

「うん。大学をでたあと、わたしのおとうさんのすいせんもあって、〝かいじょうほあんちょう〟にはいったのよ」

とっちゃんが興奮気味に叫んだ。

「やっぱりそうなんだ。山田のおじさんは、みんながしっている、どういつじんぶつなんだ。これはすごい。コンピュータでけいさんしないとわからないけど、ここにい

る五人のうちで四人がきょうつうして山田のおじさんをしっているかくりつっていうのは、たぶんてんでんもんがくてきなケタのかくりつだよ。ほとんど〝きせき〟にちかいことだよ」

ＥＭＩが院長に訊いた。

「院長先生、こんなことってありうるんですか」

院長はロスマンをふかしながら答えた。

「そうだねえ。確かに不思議なことではあるね。ただ心理学の分野でいうと、こういう現象っていうのは昔から研究の対象にされているんだ。ユングっていう偉大な心理学者がいるんだが、彼はこういった不思議な現象のことを〝シンクロニシティ〟と名づけてたくさんの論文を書いている。シンクロニシティというのは〝意味のある偶然〟といったことだな。確率的にはほぼゼロに近いことが、我々の日常ではたびたび起きるんだよ。それは人間の無意識の中にある何らかの意志が働き合って、ある種の〝引き寄せ〟、アポーツっていうんだが、そういう引き寄せ現象を起こすのではないか、という説もある。専門ではないので私にもはっきりしたことは言えないんだがね。君たち五人のうち四人が同じ山田のおじさんを知っているというのは、有り得ないことじゃないかもしれない。確かにそれはとっちゃんの言うように、奇跡に近いことであって、天文学的なケタの確率だということは確かだろう。しかし、この世界には〝絶対〟は存在しないからね」

　みんなは院長の話に聞き入っていた。すると、テーブルの皿を片づけていた井出ちゃんが言った。

「私はね、ときどき星空を見上げていて思うことがあるのよ。この広い宇宙の片すみの銀河系の中の何千億っていう恒星の中の太陽系っていう中の三つ目の惑星が地球よ。そこに生命が生まれて、進化して、人間ができて、その長い歴史のほんの一瞬のまばたきみたいな、今という時間に私がいる。そしてスープを作ったりお洗濯をしたり、たまにそうして星空を見上げたりしている。とっても不思議な感じがするの。今、私がここにいるっていうこと自体が、奇跡の中のどんな奇跡よりも奇跡的なことなんじゃないかって思うのよ。だから私はこの世の中にどんな不思議なことが起こっても驚かない。私の存在そのものが奇跡なんだもの。私は神さまを持ってないから、奇跡が起こることを望んだり、祈ったりはしないわ。自分にできることを毎日誠実に一所懸命やるだけ。お皿を洗ったり掃除をしたり、あなた達がうまくやっていけてるかに注意したり。ね」

　静が呟いた。

「わたしたちはみんな、〝いみのあるぐうぜん〟のかたまりなのね」

「そうよ。静ちゃん、そのお皿、もういい？」

「あ、はい。ごちそうさまでした」

一同がしんとした中で、とっちゃんが言った。

「山田のおじさんは、今ごろどこで何をしているんだろうな」

みっちゃんが吐き捨てるように、

「そんなもの、またおおめしをくらって、ぷっとへをこいて、けいばしんぶんかなにかをよんでるにきまってるじゃないか。どっちにしてもぼくにはかんけいないし、きょうみもないね。きみらがこれいじょう山田のおじさんのはなしをつづけるのなら、ぼくはもうねるぞ」

「おやすみ、みっちゃん」

とEMIが明るい声で言った。みっちゃんは歯をむき出してヒヒのごとき形相になって、怒鳴るように言った。

「ああ、おやすみ、EMIちゃん」

そしてみっちゃんは肩を怒らせながら寝室への廊下を歩み去っていった。

MACが立ち上げられると、四人のこども達の顔がモニター画面に引き寄せられた。明るいコンピュータ・ルーム。とっちゃんはキーボードを叩きながら質問した。

「山田のおじさんのけつえきがたはなんだろう」

EMIがすかさず答えた。

「Oがたよ。Oがたにきまってるじゃん」

静もかっちゃんもうなずいた。

「Oがたよ」

静は言葉を続けた。

「山田のおじさんはね、〝けんけつ〟がだいすきなの。まちにけんけつのクルマがとまってると、ぜったいにけんけつするの」

「どうして」

EMIが尋ねた。

「山田のおじさんはね、じぶんのけつえきがOがたなのがじまんなのよ。〝おれの血はだれにでもゆけつできるんだ。ひとさまのやくにたつ血なんだ。だからどんどん食べて、どんどんけんけつするんだ〟って。でもね、ほんとはね、けんけつしたあとにジュースとかのませてくれるじゃない。あれがたのしみなの」

「ふん。なるほどなるほど」

とっちゃんはデータを入れると、末尾に今日の日付と時間、そして「はつあんしゃ・静」と打ち込んだ。

「山田のおじさんには、なにかこまってるびょうきとかある?」

ＥＭＩが答えた。

「〝ぢ〟よ」

「ぢ？」

「そう。いぼぢ。アズキのツブくらいの大きさのいぼぢ。だからほんとはからいものたべたらダメなのよ。でも山田のおじさんはからいものがだいすきなの。キムチとかトム・ヤム・クンとか。で、『ボルツ』っていうカレーのお店があって、そこにはふつうの『一ばいカレー』からはじまって、五ばいカレー、十ばいカレー、いちばんからい『二十ばいカレー』まであるの。二十ばいカレーは、からいとかそういうのじゃなくて、お口のなかが〝いたい〟のよ。あじなんてわからない、口から火をふきそうになるだけなの。山田のおじさんはその二十ばいカレーをちゅうもんして食べた。店じゅうのおきゃくさんが山田のおじさんのようすをみてたわ。おじさんはその二十ばいカレーをひとくち食べた。ひとくちめはべつにどうってことなかったんだけど、ふたくちめを食べたときに、口のなかがヤケドしたみたいにいたくなって、おでこからあせがピューッってでてきた。でも山田のおじさんはだまったままたべつづけた。お水ものまなかった。そしてとうとうひとさらぜんぶたべおわった。そして、山田のおじさんはいったのよ。〝おかわり〟って」

みんながぷっとふき出した。ＥＭＩは続ける。

「その日はそれでまあよかったのよ。たいへんだったのはつぎの日のあさよ。トイレにはいってきばったら、二十ばいカレーのピリカラのスパイスがぎっしりつまったウンチがでて、それがいぼぢにくっついたの。山田のおじさんは声にだして〝ぎゃっ〟ていったわ。はやくペーパーでふいてとろうとしたんだけど、ふけばふくほどゲキツーがはしるの。山田のおじさんはボタボタあせをかきながら、トイレのなかに二じかんいたのよ。そのつぎの日から、山田のおじさんはトイレをウォシュレットにかえたのよ」

とっちゃんはキーボードを笑いながら叩いていた。

「うん。いいぞいいぞ。はなしにとってもリアリティがある」

日付、発案者でくくる。

「じゃあさ、たとえば山田のおじさんは、おんがくなんかはどうなんだろう。やっぱりおじさんだから、えんかなんかがすきなんだろうか」

静が、

「それはちがうとおもう」

「ちがうっていうと、たとえばどんなおんがくがすきなの？」

「うーん。わたし、おんがくつよくないからよくわからない」

「ブルーグラスよ」

ＥＭＩがきっぱりと言い放った。みんながきょとんとした。とっちゃんが、

「ブルーグラスってなに？」

「アメリカのカントリー・ミュージックのひとつよ。バンジョー、アコースティック・ギター、ウッド・ベース、フラット・マンドリン、フィドル、ヴァイオリンのことね。こういうメンバーでやるの。バンジョーなんかはとにかくしんじられないくらいにはやくひくの。とってもむずかしいおんがくよ。山田のおじさんはね、大学のときに、〝ブルーグラスどうこうかい〟にいたの。そこでフラット・マンドリンをひいていたのよ」

「フラット・マンドリンって？」

「マンドリンっていうのはおなかのところがまるくふくれてるじゃない。それをひらべったくして、立ってひきやすいようにしたのがフラット・マンドリンよ」

「ふうん。はじめてきいたな。それで、山田のおじさんはそのフラット・マンドリン、うまかったの」

「むちゃくちゃうまくはなかったの。山田のおじさんはれんしゅうがきらいだったから。でもみんなのジャマにならないていどにはひけたの。というのはね、山田のおじさんは大ぐいだから、おなかがぽこんとでてるじゃない。フラット・マンドリンはウクレレくらいの大きさだから、そのぽこんとでたおなかのうえにちょうどのっかりや

すかったのよ。だから、たいけいてきにはちょうどフィットしたがっきだったのね」

「せっとくりょくあるね」

「でね、でね。大学のブルーグラスはけっこういいせんまでいって、〝全日本ブルーグラス・コンテスト〟のじゅんけっしょうまでいったのよ」

「ほお」

「そのコンテストのまえに、山田のおじさんは、パワーをつけなくちゃいかん、といって、かいじょうのちかくのしょくどうで、オムライスを四はいたべて、そのうえに力うどんとチャーシューメンをたべたの」

「へんなたべあわせだなあ」

「そう、へんなの。それでステージに立って、ぱんぱんにふくれたおなかのうえにフラット・マンドリンをのせてブルーグラスのえんそうをはじめたの。さいしょはいいちょうしだったのよ。でもね、ワン・コーラスひいたあとくらいに、山田のおじさんはとってもゲップがしたくなった」

「ゲップ？」

「たべすぎたからよ。で、フラット・マンドリンをひきながら、おもいっきりおっきなゲップをしたの。そしたらそのせいで指がはんおんちがうコードをおさえてしまった。しかもピックにへんなちからがはいったせいで、げんが二ほん、ぷつっときれてしまったの。だからえんそうはもうムチャクチャになっちゃったの」

「それで、ゆうしょうできなかったんだね」

「そうよ」

「でも、さすがEMIちゃんはおんがくのことよくしってるね」

EMIは照れ笑いを浮かべて、

「なあに、ちょっとした〝マメちしき〟さ」

とっちゃんはこの死語に苦笑しながら、

「さて、これからはもっと山田のおじさんのないめんのほうへ、せいしんのほうへはいってみよう。たとえば、ひとのほんだなをみればそのひとがだいたいどういうひとかっていうのがわかるっていうけど、山田のおじさんのほんだなにはどんなほんがならんでるんだろう。静ちゃん、どうだい」

静はすこしあわてて考え込んだが、やがて〝くっ〟と殺した笑い声を発した。

「あのね、山田のおじさんのほんだなにはあんまりたくさんほんはないの。そのすみっこのほうに、『キスのすべて』っていうほんがあるの」

「うん」

「それは、つりのにゅうもんしょで、おさかなのキスのつりかたのガイドブックなのね。でも山田のおじさんはそれを〝キッスのしかた〟だとおもったのね。山田のおじさんはあわてものので、しかもけっこうはずかしがりやさんだから、ほんやでそのほんのせびょうしをみるなり、なかみをみもしないでかっちゃったのね。で、いえでにやにやしながらほんをひらいてみたら、キッスじゃなくてキスつりのほんだったの。それいらい、そのほんはよみもしないままにほんだなのすみっこにおいてあるんだわ」

「おもしろい」

とっちゃんはふと、じっと黙ったままのかっちゃんに目を止めた。

「かっちゃん。きみもさんかしなくちゃだめだよ。きいてうなずいてるばっかりで。さあ、かんがえてよ。山田のおじさんのほんだなには、どんなほんがおいてある？」

かっちゃんは目を伏せて考えた。やがて、

「多いのはたべもののほんだよ。りょうりのほんじゃなくて、どこそこのなにがうまくてやすいとか、そういうガイド・ブックが多い。『東京ラーメンベスト一〇〇』とかね。そのほかのほんは、とういつせいがない。バラバラだ。『キミも一週間でギターがひける』とか、『ペン習字上達法』とか、『ラブ・レターのかきかた』なんてのもある。『食べてやせるダイエット』『エルビス・プレスリーの一生』『人まえでじょうずにしゃべるテクニック』『紅茶キノコのすべて』、それからね、えーと、『ザ・殺人術』」

「なに、その『ザ・殺人術』って」

「うん。これはまえにぼくがおもしろがってよんでたほんなんだけど、人をころすテクニックがぜんぶかいてある。たとえば、針金ハンガーをあいてのくびにかけて、それをせなかでせおうかたちにしてくびりころすほうほうとか、手もとになにもないときにはあいてのくびにかみついて、けいどうみゃくをかみきればあいては四十五びょうでしぬとか。そういうノウハウのほんだよ」

「ひえー。山田のおじさんはなぜそんなほんをもってるわけ」

「山田のおじさんはね、いちど中学生四人くらいにとりかこまれて、ぼかぼかにやられたことがあるんだ。ロッコツにヒビがはいったんだ。顔じゅう血まみれでドロだらけで。そのつぎの日にほんやさんでこのほんをかったんだ」

「山田のおじさんは、かくとうぎのこころえはないの」

「ううん。ジークンドーっていう、ブルース・リーがつくったかくとうぎをならってた。でも、はんとしでやめちゃった。それに……」

「それに？」

「それは〝つうしんきょういく〟だったんだ」

みんなが笑った。ＥＭＩが指を鳴らせて、

「かっちゃん、やるう。けっこうイマジネイションあるじゃない」

かっちゃんは頭をぽりぽり掻きながら照れていたが、自分がこのゲームに一役買ったことにまんざらでもないようだった。

　とっちゃんが言った。

「このゲームはおもしろいな。やりだしたらとまらなくなる」

　静が、

「『シムシティ』ににてるわ。あのゲームはさいしょ、なにもないところへ、まちをつくっていくの。さいしょにはつでんしょをつくって、こうじょうをたてて、じゅうたくをふやしていって。でも〝こうがい〟とか〝かじ〟とかいろんなもんだいがおこってくる。それをかんがえながらまちをつくっていくの。わたしはアクションはにがてだから、『シムシティ』にすっかりハマったことがあったわ」

「山田のおじさんはね」

　ＥＭＩが口を開いた。

「さいしょはただの〝こっかくひょうほん〟だったのよ。ほら、学校のりかしつにおいてあるみたいな。でも、それにあたしたちがだんだんつけていくの。ないぞうとか、きんにくとかノーミソとか。つければつけていくほどだんだんニンゲンらしくなっていくんだわ」

　とっちゃんが言った。

「でもね、ちゅういしなくちゃいけないのは、山田のおじさんはふつうの人間だってことなんだ。ごくごくふつうのおじさんじゃないと、かえっておもしろくなくなる。ちょうのうりょくしゃだったり、ツバサがあってそらをとべたりとか、そんなんなっちゃダメなんだ。だから、かっちゃんがいったみたいに、カラテはすこしやったけど、でも〝つうしんきょういく〟。これ、だいせいかい。フラット・マンドリンがひける。これ、ギリギリのせんだ。だから、〝こせい〟のはんいからとびだしちゃだめだ。ちょう人じゃだめなんだ。ぼくらがつくるのは、山田一郎さんっていう、まあちょっとかわったところはあるけれども、きほんてきにはそのへんにいるごくふつうの、あたりまえのおじさんでないといけない」

静が、

「そうね。わたしたち、ニンゲンをつくるんだものね。山田のおじさんにとってはわたしたち、神さまなんだものね」

ＥＭＩはＭＡＣの画面を覗き込みながら、

「そうよ。シブくきめなくっちゃね。山田のおじさんはゲップをしたせいでＡとＡフラットをひきまちがえちゃう。エリック・クラプトンじゃないのよ。ヘンながっきをもっててちょっとひけるだけ。おまけにおなかがでてるから、おしっこするときにもじぶんのおちんちんはよくみえないんだわ。きゃははは」

ＥＭＩは自分で言って自分一人でウケていた。場はほんの少しシラけた。

とっちゃんが少し考えて言った。

「みっちゃん、きょう、けっこうこたえてたみたいだね」

静が、

「ええ。すっごくシラケきってた。ひるまあんなにねてたのに、またねにいっちゃったんですものね」

かっちゃんが口をはさんだ。

「だから、この山田のおじさんごっこは、すごくきくんだよ。ぼくたちがおもっているいじょうにきくんだ。だからさあ、もう、きょうだけにしとこうよ、山田のおじさんでみっちゃんをいじめるのは」

「いやよ」

ＥＭＩが椅子から立ち上がった。

「まだまだ、こんなの手はじめよ。あたしのパンツをぬがせたつみは、ちきゅうよりもおもいのよ。みっちゃんがヒィヒィいって、あたしのまえにドゲザしてゆるしをこうまで、このさくせんはつづけるわ。そしてゆるしてあげるかどうかは、パンツをぬがされたあたしがきめるのよ。けっていけんはあたしにあるのよ」

かっちゃんはＥＭＩに押されて伏し目になりながらも、

「ＥＭＩちゃんのきもちはわかるよ。でもね、きっといきすぎになるとおもうんだ。

山田のおじさんは〝かくへいき〟なんだ。つかっちゃいけないものなんだ。あいてをかくへいきでころすまえに、ぼくたちはちゃんとはなしあうべきだよ。はなしあえばみっちゃんだってサルじゃないんだ。きっとわかってくれるよ。そしてEMIちゃんに〝ごめんなさい〟っていうよ」

ＥＭＩは腕を組んで言った。

「そんなヤワなことであたしの気がおさまるとでもおもってんの。〝目には目を、歯には歯を〟。しらないの。おシャカさまのおしえよ」

「ＥＭＩちゃん、それはおシャカさまのおしえじゃなくて」

「ええい、うるさいっ。とにかくあたしはこの〝山田のおじさんさくせん〟は、てっていてきにやるんだからね。みっちゃんがはいつくばって、あたしの足のおやゆびをペロペロなめてあやまるまでね」

とっちゃんが笑いながら、

「ＥＭＩちゃん、だんだんＳＭのじょうおうみたいになってきてる」

静がＭＡＣの画面を撫でながら呟いた。

「みっちゃんをこらしめるのはもうどうでもいい。わたしはこの山田のおじさんをつくっていくゲームにむちゅうになってる。きのうまでほねだったものが、きょうはにくになっている。ないぞうがすこしずつできていく。けっかんがつくられて、そこに血がかよいはじめる。はだかのきんにくのうえにひふがはっていく。かみの毛がはえはじめる。とっちゃん、データに入れといて。山田のおじさんのおちんちんは十一・二センチよ。かせいほうけいよ」

ＥＭＩが、

「十一・二センチなんて、ちっちゃいわよ」

「そんなことはないわ。大きくも小さくもない。それでいいんです。だって、わたしたちは一生山田のおじさんにあうことはないのよ。まじわることなんてありえない。だから十一・二センチでいいの。これは日本人の男のひとのへいきんサイズよ。わたしたちはこのコンピュータというムシかごのなかで山田のおじさんをかっているのよ。山田のおじさんはわたしたちのおもいどおりにヘンタイするの。山田のおじさんはわたしたちのクリーチャーよ。でも、わたしたちは山田のおじさんにふれることはできないし、山田のおじさんもわたしたちにはなしかけることはできない。コンピュータはとってもかわったムシかごなのよ。むかし、スズムシをかってたわ。かごにいれて、キュウリをあげて。リンリンないててよるはそれをきいてるうちにスーッとねむってしまった。でも、冬がくるまえにみんなしんじゃったわ。かなしかったわ。おかあさん、スズムシにでんちいれてって、そういったわ。でも山田のおじさんはスズムシとはちがう。生きてはいない。でも死んでもいないわ。げんじつにわたしたち、ひととはなしたり、あるいていてすれちがったりする。その中には生きてる人もいれば死んでる人もいるわ。はなしをしていて、とちゅうでそのあいてがもう死んでいることにきづいてガクゼンとすることもある。でも山田のおじさんはそうじゃない。生きてもいないし、死んでもいない。わたしたちのなつやすみの〝こうさく〟なのよ。だから、わたしはムチューよ。山田のおじさんに」

静は珍らしく、長いブレスでたくさんのことを語った。

かっちゃんがしばらくして言った。

「それならそれでいいじゃないか。きみたち三人、いや、ぼくもくわわってもいいよ。みんなで山田のおじさんをつくって、かんせいさせようよ。それはすごくたのしいことだとおもうよ。でも、それをみっちゃんにたいする〝ほうふくしゅだん〟としてつかうのはやめよう。ね。ぼくのいうことわかるだろう」

みんなは黙り込んだ。ＭＡＣのモニターの画面がこども達の横顔を蒼く照らしていた。

「もう一日だけ、テストきかんをおこう」

とっちゃんが言った。

「もう一日って？」

と、かっちゃん。

「あした一日、山田のおじさんごっこをつづけよう。そのけっかをみて、みっちゃんがほんとうにふかくきずつくようなサインがあれば、このけいかくはちゅうしにしよう。そうでないとEMIちゃんだって、はらのムシがおさまらないとおもうんだ。どうだい。たすうけつできめよう。山田のおじさんごっこをあした一日つづけることにさんせいの人は」

かっちゃんがしっかりした口調で言った。

「ぼくは、はんたいだ」

EMIが言った。

「あたしもはんたい。かっちゃんとはぎゃくのいみでよ。あした一日だけなんて、てぬるすぎる。山田のおじさんごっこは、みっちゃんがみんなのまえにひれふすまでつづけるべきだわ。あした一日だけなんて、はなしにならないわ」

EMIの手は、怒りで震えていた。とっちゃんは視線を移した。

「静ちゃんは、どうおもう」

静は目を遠くに投げかけて答えた。

「みっちゃんのおうぼうせいやぼうりょくせい、そうしたものにたいして、わたしたちがだんけつしてたちむかわなければならない。これはとうぜんだとおもいます。それにたいするほうほうとして〝山田のおじさんごっこ〟、これができてきたのもしかたのないことだとはおもいます。でも、〝山田のおじさんごっこ〟というのは、あくまでゲームなのです。あそびなのです。山田のおじさんは、みんなでそだててたのしむゲームなのであって、山田のおじさんを、人をきずつけるぶきにつかってはいけないのではないかとおもいます。ただ、みっちゃんという子はちょっとやそっとのことではへこたれません。いまだって、ぐうぐうねむっているとおもいます。だから、あと一日、一日だけ〝山田のおじさん〟をためしてみて、それでダメならかっちゃんのいうとおり、はなしあおう。はなしあうというより、きっとつるしあげのリンチみたいなことになるとおもうのですが、とりあえず、あした一日だけ〝山田のおじさん〟でいってみて、ようすをみようか、というのがわたしのいけんです」

静は椅子に腰をおろした。

最後に残ったのはとっちゃんだった。とっちゃんは立ち上がり、皆を見渡して言った。

「きみたちはぼくのことをちょっと〝かわりもの〟だとおもっているだろう。あそびにもくわわらずに一日じゅうコンピュータにしがみついていて。こどもらしくないとおもっているだろう。でも、そのとおりなんだ。ぼくはかわりものなんかじゃなくて、マッド・サイエンティストなんだ。ゲンバクをせっけいしたかがくしゃは、それによって何百万人の人が死ぬ、とかいうことはかんがえない。ただただじぶんのプログラミングどおりにバクダンがさどうするか。そのことしかかんがえない。ぼくもそのしゅの人間のひとりだ。だから、〝山田のおじさん〟はぼくにとっては〝ごっこ〟じゃない。ちゃんとしたプログラミングなんだ。だから、そのプログラムがせいかくにさどうするかどうかは、ぜったいにみとどけたい。でもね、ぼくにも〝こころ〟っていうものはある。みっちゃんをギリギリまでおいつめちゃいけない。それはわかっている。だから、さいていげんにじょうほして、あした一日、このプログラムをためしてみよう、というのが、ぼくのいけんです」

一同が沈黙した。三対一。多数決で〝山田のおじさんごっこ〟は継続されることになった。

〈六〉

「空の機嫌が良くないな」

院長が窓の外を見上げながら言った。

「台風がくるんです」

井出ちゃんが院長のカップにコーヒーを注ぎながら言った。

「今日かね。明日あたりだと聞いたよ」

「それが、異常な速さで西日本に向かって最短コースを取っているんです。勢力を増しながら近づいてきています。予想の中での最悪の事態ですわ」

「瀬戸内海はいつ頃暴風圏に入る」

「今夕です」

「そんなに早く」

「はい」

「まあ、この建物は非常に頑強にできているからかなりの暴風でも心配はいらない。一番怖れるべきは高潮だ。窓という窓に全てシャッターを降ろそう。玄関シャッターは降ろして、内側の扉の四囲の隙はパテで固める。屋上の貯水槽は倒れる可能性があるな。予備の水は」

「浴槽に張ってあります」

「食料は充分にあるし、あとは電気だな。ジェネレイターにガソリンは」

「一杯に入ってます」

「予備のジェネレイターにもだね」

「はい」

「懐中電灯は」

「居間に四本出しておきました。あとこども達の部屋にも各一本用意してあります。

電池は全て入れ替えました」

「井出ちゃん、君は優秀だ」

院長はコーヒーを口に運んだ。井出ちゃんは微笑んだ。

「この島に来てから台風は三度目ですから。でも、こんなに大きなのは初めてですわ」

「物理的な面ではこのクリニックは完璧だ。堅固な砦《とりで》のようなものだよ。あとは心理的な問題だ。こども達が怖《こわ》がったり、パニックに陥ったりしないように、昼食の時に皆に説明と注意をしよう。念のためにセレネースを昼と夜に一ミリグラムずつ投与してくれ」

「わかりました」

「無線機の調子は」

「大丈夫です」

「使わずにすむことを祈るよ」

院長はコーヒーを啜りながら左手でロスマンの箱に手をやった。

「私は兵庫県でとれたんだが、小さい頃に大きな台風が来て武庫川《むこがわ》の堤防が決壊した。床上浸水だよ。戸板を漕いで移動している人がいたな。水が退いた後に庭で妙な魚がぴちぴち跳ねている。親父はそれを見て、台湾泥鰌《どじょう》だと言った」

「タイワンドジョウ？」

「雷魚だよ。親父はそれを煮て酒の肴《さかな》にしていた」

井出ちゃんは微笑んだ。

「何だか、のどかですわね」

「台風は地震に比べればたいしたことはない。〝地震雷火事親父〟というだろ。台風は入ってない。まあ、今のオヤジなんてのは怖くも何ともないがね。井出ちゃんが怒ったときの方がよっぽど怖いだろう」

「私が怒るのをご覧になったことがありまして？」

「ないね。一度は見てみたいもんだ。君はこども達に対してもいつも冷静で、しかも優しい」

井出ちゃんは少し黙った後、言った。

「昨日のこと、院長先生はどうお考えになります。あの〝山田のおじさん〟のこと」

院長はくわえたロスマンに火を点けた。

「ああ。あれか」

「シンクロニシティを私たちは目撃したんですか」

「そんな訳はないだろう。こども達は実によく考えついたもんだね。巧妙で、しかも冷酷だ」

「やっぱりそうなんですか」

「こども達は、みっちゃんの直接的な暴力に対して、心理的な報復手段を考え出し、今それを始めようとしている。〝山田のおじさん〟という架空の人物は、四人のこどもの共同幻想であり、〝言語〟だ。その言語を解することのできないみっちゃんは孤独な異国者だ。そういうシステムを保持することでみっちゃんを疎外しようとしているんだよ。こぶしを使わない暴力であり、復讐だね。前に言った通り、〝離れ猿現象〟が企てられ、行なわれ始めているんだよ」

「私たちはどう対応したらいいんでしょうか」

「静観するしかないね。行くところまで行って、カタストロフィが起こり、和解が成立して、こども達の間に新しい憲法が生まれる。そのプロセスを観察し続けるのが我々に課せられた医療行為だ。多少の忍耐は要るだろうが、介入は厳禁だよ。わかるね」

「わかりました」

「今回のクライアントはなかなか興味深いクルーだ。独創性がある。どういう展開になるかは私にもラフな予測しかできない。私にストレスが溜まって、台風に向かってピストルをぶっ放すことになるかもしれないな」

「私にも撃たせていただけます？」

「あいにく、弾丸《たま》があと五発っきりしか残っていないのでね。注文し忘れて、次の船が来るまで我慢せんといかんのだよ」

　井出ちゃんは椅子から立つと、

「まだだいぶ早いですけれど、私、窓のシャッターを降ろしに回って参ります」

「ああ、そうしてくれるかい」

　井出ちゃんは目礼して、院長室を出ていった。

　院長はしばらく煙草をふかしていたが、ふと立ち上がると、書類ケースの上に飾って置いてある中ぶりの青磁の壺の中に右手を差し入れた。そしてその中からピストルを取り出した。みっちゃんに盗まれて以来、この壺に置き場所を変えていたのだ。

　院長は席に戻ると、眼鏡拭きの布で銃を磨き始めた。別に磨く必要はなく、リボルバーは汚れひとつ持たずに黒く艶やかに光をたたえていた。それでも院長は気散じなのだろう、丁寧に銃身を拭き清める。そして何の気なしにデスクの上から二番目の抽《ひ》き出しを引いた。大量の書類が積まれた奥に小さな紙箱がある。院長はその紙箱を取るとふたを開け、逆さにして振った。中から五つの小さな弾丸が転がり落ちてきた。それをしばらく眺めた後、院長はリボルバーの弾倉を外し出して、弾丸を一発ずつゆっくりと装塡していった。五発を入れ終わって弾倉を戻し、残ったひとつの穴の部分に撃鉄をかちりと収める。

弾丸を入れる必要などどこにもなかった。そんなことはわかっていたのだが、装塡し終えた銃のグリップを右手に握ると院長は説明しようのない奇妙な充足感を覚えた。

「台風だろうが何だろうが、かかってこい」

院長は内心で呟いた。


昼食はチキンとセロリとキノコのパスタだった。バターの香りが食欲をそそり、こども達は物も言わずに皿に集中した。みんなけっこう器用にフォークにスパゲッティーをくるくる巻きつけて口に運んでいる。ただ、みっちゃんだけは井出ちゃんに「箸」を要求した。みっちゃんはその箸でスパゲッティーをはさみ、思いっきり啜り込んだ。静けさを、

「ずるるるっ、ずるずるっ」

という音が掻き消した。

EMIが顔を上げて、

「もう、みっちゃん、げひんなおとさせてたべるのやめてくんない」

みっちゃんは口の中でくちゃくちゃとパスタを嚙みながら、

「へ。わらわせせんなよ。そばだってうどんだってラーメンだって、みんなずるずるおとたてて たべるじゃないか。めんるいってのは、ずるずるおとたててたべるもんなん

だ。なんでスパゲッティーだけがとくべつなんだよ。ぼくはとやかくいわれるのはだいっきらいなんだ。ぼくはたとえローマへいったって、イタこうたちのまんなかで、こうやってずるずるたべてやるよ。じぶんをまげるってことは、つまりよのなかにまけたってことなんだ。ひとのまねばっかりしといて、じょうひんぶるんじゃねえや」

吐き捨てるようにまくしたてると、みっちゃんはまたズルズルと食べ始めた。静が言った。

「れいぎさほうというものは、ほかのひとにふかいかんをあたえないこと。かたちじゃなくってそのこころがれいぎなのよ。じぶんをしゅちょうすることとマナーをまもらないことはぜんぜんべつのことよ。じげんのちがうもんだいだとおもいます」

みっちゃんは箸を止めて静を睨んだ。

「いいや、そうじゃないな。れいぎというのはようするにみんなおなじことをしろっていうかんがえかただ。れいぎをやぶるものだけがうえにのしあがっていくことができるんだ。〝わがまま〟とか〝しつれい〟とかいうのは、まけたもののひがみさ。〝まけいぬのとおぼえ〟っていうんだ、おぼえとけ」

しゃべりながらも一皿をきれいに食べ終えたみっちゃんは水をごくごく飲み、その後で壮大なゲップをした。

ＥＭＩはフォークを置くと、

「あたし、なんだかしょくよくなくなっちゃった」

みっちゃんはそれを聞くとニヤリと笑って言った。

「ほらみろ。まけたんだ。EMIちゃんはぼくのズルズルとかゲップとか、たかがそんなものにまけて、えいようがとれなくなっちゃったんだ。そんなことだから、よわいものはいきていけなくなるんだ」

気まずいまま、全員がやがて食事を終えた。

井出ちゃんが一同の前に立った。

「台風が来ます」

井出ちゃんは台風の現状を説明して、かなり大きな暴風雨が今日の夕方から明日未明にかけてこの島を襲う旨を告げた。こども達は落ちついてそれを聞いていた。井出ちゃんはさらに台風下において注意すべき点を挙げた。一番守るべきことは、絶対に面白がって屋外に出ないこと。風で何が飛んでくるかわからない。樹や板などが窓にぶち当たってシャッターや窓ガラスを壊す怖れもある。それでもパニックにならないように。基本的には就寝時まで全員リビング・ルームに集まって過ごす。勝手な行動は取らない。全て院長と井出ちゃんの指示に従って行動する。停電しても予備のジェネレイターがあるからすぐに元に戻る。あわてないこと。断水する場合もある。その際トイレの水は流れないので小便はそのまま放置、大便は風呂の湯をバケツで汲んできて流す。怖くて眠れない子には催眠薬を処方するので井出ちゃんに言うように。停電がもし復旧しないときには懐中電灯を使うので、各自部屋の懐中電灯の場所と使い方を確認しておくように。全員軽いトランキライザーを与えるので忘れず飲むように。みっちゃんはいつもの血圧降下剤の服用を忘れずに。そして最悪建物倒壊の怖れのある場合、院長の判断により井出ちゃんの引率で山の洞窟に避難する。あわてず整然と付いてくること。

以上が井出ちゃんの説明だった。

井出ちゃんが去った後、こども達はリビング・ルームへ所を替えた。

ソファに座ったＥＭＩが言った。

「あたし、なんだかワクワクする。あたし、たいふうってすき」

静が、

「そうね。おそとでゴウゴウあらしがふいてて、それでていでんなんかして、ロウソクつけて、かぞくがあつまってけいたいラジオなんかでニュースをきいてる。こわいけど、このおうちのなかだけはぜったいあんぜん、そんなきがしてなんだかいいかんじなのよね」

とっちゃんは苦笑いした。

「それはきっとぼくらがほんとうにおおきなこわいたいふうにあったことがないせい

だよ」

みっちゃんは目をむいて言った。

「そうだ。おまえらはたいふうがどんなものかぜんぜんしらないんだ。ぼくはなんどいたいめにあったかしれない。ぼくがちいさいころすんでたいえは、たいふうでつぶれた。ぼくのおじいちゃんは、はしらのしたじきになってしんだ。ぼくのものだったハマチのようしょくじょうがぜんめつしたこともあるし、ひろいひろいビニールハウスはふっとんで、そだてていたやさいもぜんめつした。もってたふねがしずんだこともあるし、こうじょうだってだいだげきをうけた。そのたびにいちからやりなおしだ。たいふうなんてだいきらいだ」

とっちゃんが尋ねた。

「みっちゃん、それ、いつのはなし？」

みっちゃんは遠い目になって、

「わからない。ずっとずっとまえのはなしだ。よくおぼえていないよ」

ＥＭＩは笑顔で、

「それでもあたし、なんだかドキドキする。はやくこないかな、たいふう」

とっちゃんがガラスのテーブルに頬杖をついて呟いた。

「どっちにしても、きょうはそとではあそべないんだね。ここであそぶしかないよね。

なにをしてあそぼう」

「おえかき」

静が答えた。

「わたし、このしまへくるときに、がようしをいっぱいもってきたのよ。まいにちのいろんなうみのひょうじょうをかこうとおもって。でもいろんなことがあったからすっかりわすれてた。クレヨンも二十四しょくのがあるし、すいさいがのどうぐももってきたのよ」

「けっ。そんなシンキくさいことができるかよ」

みっちゃんは、話にならん、といった表情で言った。ＥＭＩも、

「あたし、おえかきヘタだからなあ」

ほらみたことかとみっちゃんが、

「だろ。それよりもすもうをとろう。それもぼくたちおとこのこはやらないんだ。何度も言うようだがＥＭＩちゃんと静ちゃんがはだかになって、まわしをしめて。おんなずもうだ。がぶりよるたびにおっぱいがぷるんぷるん、おしりがぷりんぷりん。みんなでみるんだ。いいぞお。院長先生、ウィスキーをもってるから、あれをもってきてみんなでのみながらみよう。はっけよい、のこったのこった。あっはははははは」

「……ころしてやる」

ＥＭＩが小さな声で呟いた。みっちゃんはみんなから完全に無視されていた。

とっちゃんの顔がぱっと輝いた。

「こういうのってどうだろう」

みんながとっちゃんの顔を見た。

「あのね、クイズをやるんだ」

ＥＭＩは少し肩を落とした。

「クイズ？　クイズなんかやったってつまんないよ。しりとりといっしょくらいつまんない。それにすぐにネタぎれになってシラけるにきまってるじゃん」

「いや、ちがうんだ。ただのクイズじゃなくて、テレビでやってるクイズ・ショーをぼくたちでやるんだ。しかいしゃは、そうだね、いいだしっぺだからぼくがやる。みんなはかいとうしゃだ。静ちゃん、がようしをいっぱいもってるんだろ。それをパネルにしよう。いすを四つならべて。静ちゃんは黒柳徹子だよ。ＥＭＩちゃんはスターなんだから、そのままＥＭＩちゃんだ。静ちゃんは高橋英樹だ。みっちゃんはそうだなあ、アホの坂田」

「なんでわしだけがアホの坂田なんだっ」

「いや？」

「ぼくはな、ぼくは、ぜったいキムタクだ」

「みっちゃん、キムタクしってるの」

「しってちゃわるいか。わしはよのなかのどうこうにはいっつもアンテナをはってるんだ」

「じゃ、いいや。千ぽゆずるよ。みっちゃんはキムタクだ」

「だとうなせんだ」

「いいかい。テレビカメラはあそこだよ」

とっちゃんは居間の空間の一点を指さした。するとそこに目には見えないカメラが現われた。

「これが一カメ。そしてあっちに二カメ、こっちに三カメ。ほかにハンディーをもってうごきまわってるカメラマンがいるよ。どう、これ」

ＥＭＩが嬉々として言った。

「おっもしろそう。やろうよやろうよ。で、なんていうタイトルのばんぐみなの」

「そうだなあ」

みっちゃんが即座に答えた。

「『あっとおどろくアイデアしょうほう、きみもひとばんでおくまんちょうじゃ！』これでいこう。なあ、かっちゃん」

「う、うん」

かっちゃんは少々気乗り薄。EMIは口をとがらせた。

「そんなのぜんぜんピンとこない。だってあたしたちこどもなのよ。ちゅうしょうきぎょうのおっさんじゃないのよ。ね、静ちゃんはどうおもう？」

EMIはそう言って、みっちゃんには見えない角度に顔を持っていき、静に意味あり気なウィンクをした。静は少し困った表情になったが、やがて顔を上げ、細い声で言った。

「『クイズ・山田のおじさんのひみつ』。これ、どうかしら」

みっちゃんが顔をしかめた。

「なんだ、それは。そんなものおもしろくもおかしくもない。そんなきかくでしちょうりつがとれるものか。いいか、テレビっていうのはみるのはタダだ。なぜタダなんだ。スポンサーがこうこくひをだしてCMをながさせるからだ。しちょうりつってのは、一%についてなん百万えんものかねがかかってるんだぞ。『クイズ・山田のおじさんのひみつ』。そんなものどこのだれがみるんだ」

「あたしならぜったいみる」

EMIが言い切った。とっちゃんも、

「ぼくもみるよ。テレビにかじりついて。静ちゃんはじぶんがいいだしたんだから、とうぜんみるよね」

「それは……みるわ」

みっちゃんは怒り顔をかっちゃんに向けた。

「かっちゃんはどうなんだ。え？」

かっちゃんはうつむいて、

「みる……かもしれない」

「きまりだ」

とっちゃんが勝ち誇った。

「これでしちょうりつは八十％だよ。テレビではいままでにでたことのないさいこうのしちょうりつだ。さ。よういをはじめようよ」

かっちゃんがコンピュータ・ルームへパイプ椅子を取りに行った。ＥＭＩはデッキとＣＤを何枚か持ってきた。番組のオープニング・ミュージックを選曲するためだ。静は画用紙と筆記具を取りに部屋に戻った。とっちゃんはキッチンに行って井出ちゃんから擂《す》り粉木《こぎ》を借りてきた。マイクに見立てるつもりなのだ。みっちゃんは何もしなかった。ひとりふてくされて、ポケットから酢昆布を取り出し、嚙み始めた。

ショーの準備は三分ほどで整った。かっちゃんは四つのパイプ椅子を正確な一直線に並べながら、

「ね、とっちゃん。ＭＡＣ、つけっぱなしになってるよ」

「え。ああ、いいんだよ。ほうっておいて。それよりはやくクイズ・ショーをはじめよう」

ＥＭＩ、静、かっちゃん、みっちゃんの順でパイプ椅子に座る。とっちゃんが揺り粉木を握って言った。

「よし、はじめるよ。はい、ほんばん五びょうまえ。四、三、二、一、スタート」

カセットから明るいインストゥルメンタルのロックが流れ出した。とっちゃんはマイクを口に当て、叫んだ。

「亀島テレビかいきょくきねんとくべつばんぐみ、『クイズ・山田のおじさんのひみつ』!! いよいよはじまりました。みなさんこんばんは、わたくししかいの古舘伊知郎です。さいきんおおきなわだいをよんでいる〝山田のおじさん〟。ごぞんじですね、山田のおじさん。さて、この山田のおじさんにはみなさんのしらないひみつがいろいろとかくされています。こんやはこの山田のおじさんのナゾをクイズでときあかしていきたいとおもいます。では、かいとうしゃのみなさんをしょうかいしましょう。まずはこのかた。しじょうくうぜん、六百万まいのだいヒットをはなった、かしゅのＥＭＩさんですっ」

ＥＭＩは架空の一カメに向かって大きく腕を振った。

「みなさんこんばんは。ＥＭＩでえす」

とっちゃんはEMIに二、三歩近づきながら、

「EMIちゃんはここしばらく新しいシングルを出してらっしゃいませんが」

「はい。すこしおやすみをいただいて。でもこのまえバリ島にいって、あたらしいさくひんを二きょくかきました。もうすぐレコーディングです」

「それはたのしみですねえ。こんどはなん百万まいうれるんでしょうか。はい、つづいてこのかた。タマネギあたまがきょうもつややかな黒柳徹子さんです」

静があまり似ていない物真似であいさつをした。

「みなさんこんばんは。黒柳徹子でございます」

「黒柳さんはまたアフリカへ」

「はい。ソマリアというくにへまいりまして、うえたこどもたちのげんじょうをしさつしてまいりました。テレビをごらんのみなさまがたにも、ぜひえんじょきょうりょくをおねがいしたいとぞんじます」

「はい。わたしたちがこうやってテレビをたのしんでいるあいだにも、せかいじゅうにはうえたこどもたちがえんじょの手をまっているわけです。ごえんじょのほうほうについてはのちほどフリップでおしらせします。メモのごよういを。さて、つづいてこのかた。ひとーつ、ひとのよのいきちをすすり、ふたーつ、ふらちなあくぎょうざんまい、みっつ、みにくいうきよのオニをたいじしてくださる高橋英樹さんです」

「あ、どうもこんばんは。高橋です」

「『ももたろうざむらい』のあたらしいシリーズが……」

「はい。せんげつクランク・インしまして、かいちょうにさつえいちゅうです」

「あたらしいシリーズのみどころは」

「ええ。ガトリング・ガンをつかうてきがまいかいでてきましてね。これとどうたたかうかという」

「どうやってたたかうんですか」

「それはいまはないしょです。テレビでごらんください」

「はい。しんばんぐみは十がつからのスタートです。おたのしみに。そしてさいごはこのひと。ごけっこんからおとなっぽさがでてきました。木村拓哉さんです」

「どうも、こんばんは」

みっちゃんは、子泣き爺いがひきつけを起こしたような笑顔を作ってカメラに手を振った。

「あたらしいコーヒーのCM、かっこいいですねえ」

「ありがとうございます」

「ドラマのごよていが」

「え？」

「あの、あきからあたらしいドラマのごよていが」

「あ……ああ。あれな。うん。『ザ・しょうばい』というドラマだな」

「それはどういったドラマですか」

「うん。いちもんなしのでっちぼうこうからはじめたしゅじんこうが、さまざまのくなんをのりこえて、しょうばいでおおもうけするというはなしだな。まいかいきれいなねえちゃんがひっきりなしにでてくる。これをはだかにしてなめまくる。これもみどころのひとつです」

「わかりました。いじょう、四にんのかいとうしゃのみなさんでおおくりする、『クイズ・山田のおじさんのひみつ』。CMのあといよいよスタートですっ」

とっちゃんはマイクを口元からおろして右手をぶら下げた。

「CMタイムだよ。六十びょう、きゅうけいだ」

EMIが笑った。

「すごい。リアル。ほんとにテレビにでてるみたい」

静もうなずいた。

「とっちゃん、ばんぐみづくりのこと、よくしってるのね」

「うん。テレビきょくにけんがくにいったことが二かいあるんだ。でもみんなもじょうずだよ。リアクションもいいしアドリブもきくし」

かっちゃんは胸に手を当てて、

「ぼく、なんだかきんちょうしちゃった。ゲームなのにね」

みっちゃんの不快感は露骨だった。

「おもしろくないな。そうぞうしていたいじょうにおもしろくない。いみがない。スリルがない。あそびとしてはらくだいだな」

「でもみっちゃん、ぼくにつっこまれてつまってたじゃないか」

「それは、きゅうによていにないことをきくからだ」

EMIが昂然と言い放った。

「あんなキムタクいないわよ。よくばりでエッチで耳からしろい毛がもじゃもじゃはえてて」

「うるさいっ。ガタガタぬかすな」

とっちゃんは腕時計を見ながら、

「さ。そろそろCMタイムあけるよ。十、九、八、七、六、五、四、三、二、一！」

とっちゃんはマイクを口元に持っていった。

「はい。ではクイズのはじまりです。しられざる山田のおじさんのひみつ。山田のおじさんはどんなひみつをもっているのでしょう。ではだい一もん！『山田のおじさんはこどもがだいすきです。こどもにあうと、さいしょにかならずあるギャグをします。そのギャグとはどんなものでしょう』。はい、ではみなさんおこたえをお手もとのフリップ・ボードにかきこんでください。せいげんじかんは十五びょうです。では、ようい。スタート！」

EMIと静とかっちゃんはすぐに画用紙に太マジックで書き込みを始めた。みっちゃんだけが腕を組んで宙をにらんでいたが、やがてマジックのキャップを外した。猛然と書き始める。

とっちゃんが時計を見ながら、

「はい、十五びょうたちました。みなさんマジックをおいてください。さあて、山田のおじさんはこどもにあうとどういうギャグをするのか。おこたえはいかに。さあ、ではどなたのおこたえからみていきましょうか。そういえばさいしょすこしとまどっていらっしゃいましたね、キムタクさん。おこたえをおみせください、どうぞっ」

みっちゃんは渋々といった様子で伏せていた画用紙を表に返し、前に差し出した。その画用紙には荒っぽい殴り書きでこうあった。

『あのねおっさん、わしゃかなわんよ』

一同、狐につままれたような表情になった。

「『あのねおっさん、わしゃかなわんよ』。はて、これはいったいどういう……。キムタクさん、これはなんなんですか」

みっちゃんは渋い表情で答えた。

「むかし。ずいぶんむかしにおおはやりしたギャグだ。これは〝あのねのおっさん〟っちゅうコメディアンがはやらせたギャグで、むかし、えいがをみているとかならず、ワンシーンだけおっさんがでてきてこのギャグをやる。その山田のおじさんくらいのとしのにんげんなら、あるいはこれをしっているかもしれん、とおもったんだ」

「ほう。これはまためずらしいおおむかしのギャグをおしえていただきました。いや、ためになりました。ではあとの三にんのかたのこたえをじゅんばんにみていきましょう。まずはEMIちゃんっ」

EMIは画用紙を出すと同時に叫んだ。

「あたまのさきまでピーコピコっ」

「つづいて黒柳さんっ」

「あたまのさきまでピーコピコっ」

「高橋さんっ」

「あたまのさきまでピーコピコっ」

「せいかいっ。三にんともおなじおこたえでした。だいせいかいです。山田のおじさんのギャグは『あたまのさきまでピーコピコっ』でした。ひとりだけふせいかいだったキムタクさんからはバツとしてスコンブをぼっしゅうさせていただきます」

「これはわしの、いやぼくのスコンブだっ」

みっちゃんが立ち上がった。

「それにそのギャグは、しょうわ三十ねんだいに〝若井はんじ・けんじ〟というマンザイのれんちゅうがはやらせたものだ。そんなふるいことをなぜ十さいのこどもがしっているんだ。おかしいじゃないか」

ＥＭＩが口答えした。

「あたしたちしらないわよ。でも山田のおじさん、そういうんだもの。ね、静ちゃん、かっちゃん」

「うん、そう」

静が言った。かっちゃんは黙ってうなずいた。みっちゃんは腹を立てて、どかんと椅子に腰を落とした。ゲームは続く。

外では少し風の音がたち始めていた。

ゲームはまだ続く。

とっちゃんが擂り粉木マイクを手にして、

「はい。ではつぎのクイズです。山田のおじさんは、ある楽器をひくことができます。その楽器とはいったいなんでしょうか。ヒントをもうしあげます。一、日本ではかなりめずらしい楽器です。ヒントの二、ややちいさめの楽器です。ヒントの三、アメリカのカントリー・ミュージックでつかいます。さあ、おこたえをボードにかいてください っ」

ＥＭＩ、静、かっちゃんは一斉にマジックを手に取り、ボードに向かった。みっちゃんは長い間考え込んでいたが、やがてマジックのキャップを外した。十五秒が過ぎた。

「はい、タイム・アップ。またおなじじゅんばんでみていきましょう。キムタクさん、おこたえをどうぞっ」

みっちゃんは渋々とボードを差し出した。そこには、

「口琴《こうきん》。マウスハープ」

と書かれていた。とっちゃんは首をかしげて、

「コウキン？　キムタクさん、コウキンとはなんなんですか」

と尋ねた。みっちゃんは言葉を探しながら答えた。

「口琴というのは、きんぞくでできたちっちゃなもので、ようするにほそながい、てつの〝いた〟だ。歯でかんで、口からでているいたを指でピンピンはじく。すると口の中でおとがひびいて、〝ビョョオーン、ビョョオーン〟というかわったおとがする。そういうもんだよ」

「それが、カントリー・ミュージックにつかわれているんですか」

「むかしのせいぶげきのめいさくで『シェーン』というのがあった。しってるだろ？

あのえいがのテーマのおんがくに口琴がつかわれている。え……と、『はるかなる山のよび声』だったかな。〝ビョョオーン、ビョョオーン〟。ずっとながれている。これがせいかいだ」

EMIが言った。

「『シェーン』なんて、みたことない」

静は、

「わたしはテレビでみたわ」

かっちゃんも、

「ぼくもみたことあるよ。おんがくもおぼえてる。たしかに、ビョ～ンって、へんなおとがなっていた」

とっちゃんが、

「ぼくはみたことがありません。はたしてコウキン、せいかいでしょうか。では、のこりの三にんのみなさん、どうじにおこたえをおみせくださいっ」

三人は同時にボードを見せた。同じ答えが書かれていた。

「フラット・マンドリン」

「フラット・マンドリン」

「フラット・マンドリン」

とっちゃんは驚いたふりをした。

「おやおや。またまた三にんともおなじおこたえです。さて、どうなんでしょうか。せいかいをもうしあげます。せいかいは、〝フラット・マンドリン〟！　EMIさん、黒柳さん、高橋さん、おみごと、だいせいかいです」

三人はパチパチと自分たちに拍手をした。みっちゃんは一人顔をしかめて、

「フラット・マンドリンだと？　なんだ、そりゃ」

「カントリーのなかのひとつ、ブルーグラスにつきものの楽器です。山田のおじさんはこれをひくことができたんですね」

みっちゃんは唇を歪めたまま黙り込んだ。

とっちゃんは続ける。

「では、つぎのクイズです。山田のおじさんのけつえきがたは、なに。ズバリ、おこたえください。さ、スタート！」

経過は全く同じで、三人が素早く書き始め、みっちゃんは腕を組んで考えた。十五秒たって、回答は座っている順に発表された。

EMI。

「Oがたです」

静。

「Oがたのはずです」

かっちゃん。

「Oがた、だとおもいます」

みっちゃんが最後にボードを見せた。そこには、

「Rhマイナス」

と書かれていた。もちろん、みっちゃん以外の三人が正解だった。みっちゃんは苦々しい顔をして、首を振り、骨をパキパキと鳴らした。とっちゃんは微笑みながら、

「キムタクさん、よそうにないくせんですね。がんばってもりかえしてください。ではつぎのクイズにいきましょう。『山田のおじさんのクチグセはどういうものでしょうか』。これがモンダイです。さ、スタート！」

今度は四人がいっしょにマジックを使い始めた。十五秒たった。

「はい。タイム・アップ。おや、こんかいはキムタクさん、じしんありげですが。おこたえをどうぞっ」

みっちゃんは、ゆっくりとボードを掲げ、

「〝もうかりまっか〝。これだ。これしかない。〝もうかりまっか〝といわれたあいては〝ボチボチですわ〝とこたえる。かんさいのビジネスマンのあいだの、あいことばだ。じょうしきだな」

「山田のおじさんは、かんさいの人なんですか？」

「そうおもうな」

「どうしてですか」

「それは、〝ちょっかん〟だよ。わしは、ちょっかんりょくがするどいから、こうしてせいこうしてきたんだ。きみらとはちがう」

とっちゃんはニコリと笑った。

「さて、のこり三にんのおこたえはどうでしょうか。キムタクさんのぎゃくてんなるか。ごいっしょにどうぞっ」

三人はボードを立て、輪唱のようにして答えた。

「よろしいですかあ？」

「よろしいですかあ？」

「よろしいですかあ？」

とっちゃんはバンザイをしてみせて、大声で言った。

「はいっ。またまたまた、三にんともごせいかい！〝よろしいですかあ？〟、これが山田のおじさんのクチグセですっ」

突然、みっちゃんが椅子を蹴って立ち上がった。そして、自分のボードを音立てて引き破りながら、荒々しくわめいた。

「くだらんっ。じつにくだらん。こんなものはただのヤオチョーのイカサマだ。ゲームじゃない。あそびになっていない。イミもなにもない。わしは、おりる。わしがここにいるひつようはどこにもない。やめさせてもらう。つづけたければ、きみらでかってにやればいい。わしはへやにかえる」

そう言い放つと、ロボットのように正確な歩き方で、リビング・ルームを出て行った。肩を怒らせて。

残された四人は、目に笑いを浮かべながらその後ろ姿を黙って見送った。みっちゃんが去ってしまうと、とっちゃんは椅子の三人を振り返って、尋ねた。

「ね。つづける？　どうする？」

三人は首を上下に振った。ゲームは再開された。

みっちゃんは自分の部屋に向かって廊下を歩いていた。しわがれた小さな声で歌を歌っていた。

♫おしえておくれ
おしえておくれ
とおいとおい　しんきろうの

かぜふくまちかどを
おまえのくにを♪

そういえば、風の音がする。段々強くなってきてるな、と、みっちゃんは思った。
また続きを歌う。

♫かた目をとじれば
せかいは　ゆうぐれ
さみしいきもち
りょう目をとじれば
せかいは　まよなか……♪

ふと見ると、コンピュータ・ルームのドアが開いていた。中から明るい光がこぼれ出している。みっちゃんはその光に導かれるように、何の気なしに部屋の中に入ってみた。MACのモニター画面が青白く光っていて、そこに何か文字が映っていた。
♫手をはなさずに……わすれておくれ　わすれて……♪
みっちゃんは画面を覗き込んだ。

『山田のおじさん　データ・ファイルNo.27
山田のおじさんはフラット・マンドリンをひくことができる。だいがくじだい、〝ブルーグラスどうこうかい〟にいた。そんなにうまくはない。したばらがでているので、マンドリンがのっかりやすかったのだ。ブルーグラスのたいかいにでて、じゅんけっしょうまでいった。しかし山田のおじさんは、そのまえにオムライスを四さら、ちからうどんとチャーシューメンをたべたので、えんそうちゅうにおおきなゲップをしてしまった。そのためにAとA♭をひきまちがえ、ゆうしょうできなかった。
七月十七日　はつあんしゃ　ＥＭＩ』
みっちゃんはまばたきもせず、その文章を読んだ。そして、もう一度読み直した。
「………。なんじゃ、これは」
みっちゃんは上にスクロールしてみた。〝ファイルNo.26〟がモニター画面に現われた。
『ファイルNo.26
山田のおじさんのけつえきがたはOがた。おじさんはじぶんの血がだれにでもゆけつできるのがじまんで、けんけつがだいすき。でもほんとは、けんけつのあとにもらえるジュースをたのしみにしている。
七月十七日　はつあんしゃ　静』

みっちゃんはさらにスクロールを続けた。上に、下に。

『ファイルNo.25
山田のおじさんのクチグセ。〝よろしいですかあ?〟

七月十六日　はつあんしゃ　かっちゃん』

「これは……」

みっちゃんは夢中になってスクロール・バーをクリックし続けた。狂ったような勢いだった。次々に表示が現われた。

『山田のおじさんは、こどもにあうとかならず〝あたまのさきまでピーコピコ〟というギャグをする。むかしの若井はんじ・けんじがはやらせたギャグである』

『山田のおじさんは静ちゃんのおとうさんのすいせんで〝かいじょうほあんちょう〟にはいり、いまもそこではたらいている』

『山田のおじさんは〝ジークンドー〟というカラテを、はんとしかんならっていた。〝つうしんきょういく〟で』

『山田のおじさんの本だなにある本』

「………」

みっちゃんは、パイプ椅子にドカッと腰を落とした。そしてしばらく考えた。そのうちにみっちゃんの唇にねじくれたような笑みが現われてきた。その笑みはすぐに消え、やがて怒りの形相がみっちゃんの顔をおおいつくした。みっちゃんは怒りながら笑った。

「はは。はは……あっはっはっは。こういうことだったのか。これはまんまといっぱいハメられたな。このわしともあろうものが、あんなアホウのガキどもに。……よおし、どうなるかみてろ。〝目には目を、歯には歯を〟だ」

みっちゃんはまた下にスクロールし、書き込みの最後のところまで行き着き、怒りに震える両手でキーを叩き始めた。

『山田のおじさん　データ・ファイル№31』

猛烈な勢いで打ち込みを続ける。三十秒ほど打って、最後の一行を打ち終えた。と、後ろから優しい女性の声が響いた。それは井出ちゃんの声だった。

「みっちゃん、珍らしいわね。コンピュータと遊ぶなんて」

みっちゃんはあわてて、画面を上の方へずっとスクロールして、ＭＡＣのスウィッチを切った。そして振り返った。井出ちゃんが微笑んで立っていた。

「あ。うん。たまにはわしだってやるよ。パソコンのしゅみはないけど」

「もうすぐお夕食よ。みんなもう集まっているわ。みっちゃんも早くおいでなさい」

「うん。わかった。いまいくよ」

「じゃ、井出ちゃんと一緒に行きましょう」

「うん」

みっちゃんは立って井出ちゃんの後に付き従いながら、部屋のドアのところまで来ると振り返り、MACの暗くなった画面をチラリと見た。


ダイニング・ルームには全員が揃っていた。院長は珍らしいことに、ウィスキーの壜を前に立てて、オン・ザ・ロックを啜っていた。井出ちゃんがキッチンから皿を運んでテーブルに並べ始めた。

「今日はね、EMIちゃんお待ちかねのキジのお肉の白ワイン煮込みよ。おいしいわよ」

EMIが井出ちゃんに言った。

「キジ？　そんなものあったの」

「冷凍庫に保存してあったのよ。院長先生が森で撃ってきたのを、羽根を取ってすぐに冷凍したの。だからとてもフレッシュよ」

とっちゃんが尋ねた。

「いんちょうせんせい。キジっていうのは日本では、とっちゃいけないことになってるんじゃないんですか」

院長はグラスを置くと、笑った。すでに院長の目のまわりはほんのりと赤らんでおり、口から放った笑い声は微醺《びくん》を帯びていた。

「私だってね、聖人君子じゃない。社会的なルールを犯すこともある。そうしょっちゅうじゃないがね。確かに法では禁止されているキジを撃ったよ。目の前にいたんだ。だから撃った。しかもその撃ったピストルは銃刀法に違反したものだ。不法所持だよ」

院長はまたグラスを口に運び、一口飲んだ。

「しかしね、とっちゃん。ルールを犯さない人間なんてこの世界のどこにいる？　君達だってこのクリニックのルールをたくさん犯してきただろう？　ルールってものはね、破られるために存在しているんだ。ブッシュはイラクに核兵器をぶち込もうとしている。そうしたら死ぬのは兵士だけじゃない。こども達や女の人、老人が死ぬんだ。これはね、神のルールに背いた行為だ。つまり掟破りの殺人者がアメリカという国を支配している。この世界はそういう風にできている。だから私もルールを破ることが多少ある。だが撃ったのはキジだ。私の秘密のピストルは人間に向けられることはない。絶対にない。それは私の心の中のルールだ。わかるだろ？　さ、そんなことよりキジを食べよう。うまいぞ」

こども達はフォークを取り、深皿に向かった。白ワインとホワイトソースの香り。ブロッコリー、ニンジン、いつものキノコ、その間に七、八片の真っ白なキジ肉が見え隠れしている。こども達はその肉片をフォークで突いて口に運ぶ。噛みしめる。肉汁が口の中に広がる。静が呟いた。

「おいしい。しっかりしたニクのおあじがする。ブロイラーなんかひかくにならないわ。とってもおいしい」

一同がうなずいた。こども達は、しゃべるのも忘れて食べ続けた。沈黙が食卓をおおった。しかし、その静けさとは対照的に、建物の外では嵐の吹きすさぶ轟音が荒れ騒いでいた。その強烈な音は、シャッターを降ろした窓を超えて全員の耳に入っていた。井出ちゃんが美しい眉を曇らせて言った。

「台風、本格的に来ましたわね。でもまだまだ。もっと強くなる。あと何時間かでピークに達しますわ。院長先生、あまりお酒を召し上がらないでください。こんなときに酔ってしまったら……」

院長はほとんど氷だけが残っているグラスを傾けて、残っている薄い液体を飲み干した。

「酔う？　はは。井出ちゃん、もう遅いよ。私はもう酔っている。暴風に立ち向かうには蛮勇が要る。そのためにはウィスキーの力を借りることもひとつの方法だよ」

「でも院長先生……」

「私は、酔っても判断力が鈍ることはない。過去の経験からそれはよく知っている。

あと二、三杯は飲むよ」

轟々と嵐の音が聞こえる。しかしこども達は冷静だった。気にする様子もなく、黙って食事を続けていた。その沈黙をＥＭＩが突然破った。

「ねえ、おもしろかったね、『クイズ・山田のおじさんのひみつ』ごっこ。あたし、ついほんきだしちゃった。静ちゃん、どうだった？」

静は口の中の物を呑み込んでから、答えた。

「ええ。おもしろかった、とっても。わたしＥＭＩちゃんとちがって、テレビなんかにでたことないから、なんだかドキドキしちゃった」

とっちゃんもうなずいて、

「スリリングだったね。シミュレーションなんだ。ぼくはそういうのすきなんだよ。スリルとサスペンスとスペクタクル。それがテレビ・ショーなんだ。リアルなのさ。あれにくらべると、ほんとのテレビなんてつまらない。『クイズ・山田のおじさんのひみつ』のほうがだんぜんおもしろい。そうおもうな」

その会話を一番端っこで聞いていたみっちゃんは、ニヤリと笑みを浮かべた。ほくそ笑んでいる、そんな感じの唇の歪みだった。かっちゃんは何も言わず、例によってみっちゃんに半分取られた皿の中の料理をゆっくりと食べ進んでいた。院長は何杯目かのウィスキーをグラスに注いでいる。

そのとき、

ピンポーン

玄関のチャイムが鳴った。

井出ちゃんが驚いた表情になった。

「おかしいわねえ。フェリーが来るのは二日後だけど……。予定が変わった？ いえ、こんな大嵐の日に船を出す人なんていないわ。きっと風で飛んできた木ぎれとか折れた枝が外のコール・ボタンに当たったか何かしたんだわ」

院長が声をかけた。

「井出ちゃん、何を一人でぶつぶつ言ってるんだね」

「院長先生、だって……」

ピンポーン

ピンポーン

ピンポン ピンポーン

チャイムがたて続けに鳴った。それは明らかに人間の指によって鳴らされたチャイム音であった。井出ちゃんは立ちつくしたまま、院長に言った。

「おかしいですわ、院長先生。この島には私達の他に人はいません。訪ねてくる人間がいるわけはありません」

院長はロスマンを口にくわえながら答えた。

「しかし、現に誰かがベルを鳴らしてるじゃないか。とにかく応対に行ってみたまえ。うちのルールは〝来たる者拒まず〟だ。まして、こんな大嵐の夜だ。早く行って、ドアを開けてやんなさい」

「わかりました」

井出ちゃんは急ぎ足で玄関のドアまで行った。それでもまだ疑いの心は晴れないらしく、ドアの内側から誰何《すいか》した。

「あの、どちら様でしょうか」

部厚い木のドア越しに、男のくぐもった声が返ってきた。

「あの、すみません。島の向こうの灯台から来たものなんですが。入れていただけませんでしょうか。灯台の発電機が故障してしまいまして、たいへんに困っているのですよ」

井出ちゃんは、ほっと胸をなでおろして、

「はい。今すぐ開けますので、お待ちください」

素早くドアのロックを外して、開けた。その時、外に強烈な稲妻の光が走った。その光に照らされて、一人の男の姿が浮かび上がった。逆光になっているのでシルエットである。顔は見えないが、中背の男だった。横殴りの暴風雨に耐えて、かろうじてまっすぐに立っているように見えた。男は声を張り上げて言った。

「恐れ入ります。私、灯台の者で、山田と申します。こんな時に、申し訳ございません」

井出ちゃんはドアを大きく開いて、

「さ、そんな所に立ってらっしゃらないで、早く中にお入りになって」

男は二、三歩足を踏み出して中へ向かいながら言った。

「よろしいですかあ？」

〈七〉

食卓の端の椅子に男は座って、キジの煮込みの皿に鼻を突っ込んでむさぼり喰っている。椅子の背には雨でずぶ濡れになったレインコートが掛けられている。

こども達は食べかけの皿にスプーンを置いて、じっと黙って男を注視している。

院長が男にウィスキーを勧めながら話しかけた。

「発電機が故障ですか。それはお困りでしたでしょうなあ」

男は口の中に食べ物を入れたまま、もごもごと答えた。

「ええ。困るも何もあなた。いや、灯台の灯り自体はコンピュータで自動機能してまして、そっちの方の電力は別系統になってるんですよ。だからそっちの方は問題ないんです。ぶっ壊れたジェネレイターは、灯台内の生活用電気の方でして。ですからもう灯台の中の部屋は全部まっ暗。十センチ前も見えない、鼻をつままれてもわからないってな按配で。懐中電灯はあったんですが、こいつがまた電池が切れてやがって。海上保安庁に連絡しようにも、メールが送れないでしょ。冷蔵庫の中の食べ物はこの暑さですからどんどん腐っていくし。いやあ、まいりましたよ。もう、完全にお手上げですよ、お手上げ。はっははは」

男は両腕を上に開いてみせた。その右手にはスプーンが握られ、左手にはきれいに空になった皿がつかまれていた。井出ちゃんはその空の皿を見てピンと来た。

「あの、山田さん。よろしければお代わり、いかがですか」

男は喜びでつい大声になった。

「よろしいですかあ」

「はい。たくさん作ってありますから。好きなだけお召し上がりになってください。

ご遠慮はいりませんのよ」

男は空の皿を井出ちゃんに手渡しながら、

「よろしいですかあ。よろしいですかあ。いや、私、実を言うとずいぶんと大喰いなもんですから。よろしいですかあ」

井出ちゃんはにっこりと笑って空き皿を受け取り、キッチンへ戻っていった。男は院長が勧めてくれた水割りのグラスを手にすると、いきなりゴクゴクと一気に半分くらいを飲んでしまった。

院長はそんな男の様子をそれとなく観察していた。ずぶ濡れのレインコートの下に男はTシャツ一枚を着ていた。無地の黒いTシャツだった。中肉なのだが、下腹がずいぶんポコンと出ていてユーモラスである。顔は青白く、異様にむくんでいた。院長は心の中で考えた。

〝四十一、二歳かな。顔が青くむくんでいる。指を入れたらそのままズブズブ入りそうだ。腎臓、膵臓《すいぞう》、どちらか、または両方が悪いのかもしれない。肝臓肥大、脂肪肝も考えられる。長年にわたって暴飲、暴食を続けてきた生活習慣による内臓のダメージ。口唇期性欲保持者。しかし煙草は吸わんようだな。性格的には特に歪んだ所はなさそうだ。むしろ社交性があって、ユーモアもある。アグレッシブでもないようだ。血液型はO型だろう。循環性気質。躁うつの傾向もあるかもしれない。ま、要するにごく普通の男だ。特に問題となるエレメントは持っていない。私ほどのストレスは抱えていない。私は……私は、少し酔っている。みっちゃんに対する個人的嫌悪感が日毎に溜まってきている。しかし、私はサイコセラピストだ。抑制しなければプロとして失格だ。だから……だから私は。ん？　何を考えていたのだっけ。いかん、酔っている。あと一杯で止めておこう〟

院長は短くなったロスマンを灰皿で揉み消した。そこへ井出ちゃんが煮込みをたっぷり盛ったお代わりの皿を運んできた。

「はい、どうぞ召し上がれ」

「お、こりゃすみませんなあ。よろしいですかあ。では、いただきます」

男はまた皿に鼻を突っ込んで食べ始めた。こども達は無言でその様子を見ている。井出ちゃんは男に尋ねた。

「もう何年くらい灯台にお住まいですの」

男はやはり口に物を入れたまま、顔を上げて答えた。

「え？　いや、何年も何も、ほんの三日ほど前にこの島に来たばかりですよ。私の任務は灯台のコンピュータ・システムのチェック。灯台内外部の欠損のチェック。それだけです。それがすんだら帰ります」

「え。そうなんですか」

「そうなんです。今の灯台っていうのはコンピュータで作動してますから、常駐して灯台に住み暮らすということはありません。昔ね、流行った歌で、〝♫おいら岬の灯台守《もり》は〜♪〟っていうのがありましたが、今はそんなことはありゃしません。三ヵ月に一回、灯台の機能チェックに五日ほど来るだけです。それにしても、いや、このシチューはうまいですなあ。ほら、もうこんなんなっちゃった」

男は残り四分の一くらいになってしまった皿を指さして井出ちゃんを見た。

「あらあら。よっぽどお腹が空いてらしたんですね」

「いや、そうじゃない。何度も言いますが、私は大喰いでそのうえ早喰いなんですよ。自分でも、いかんな、とは思うんですがね。直らないんですよ」

しゃべりながら男は皿の残りをきれいに平らげた。井出ちゃんは目を丸くして、

「あの、お代わりお持ちしましょうか」

男は頭を掻いて、

「え？ よろしいですかあ。悪いなあ、いきなり押しかけて、ご馳走になって、しかも口いやしく二回も三回もお代わりして。ほんとに、いやほんとに……。よろしいですかあ」

男はまた空き皿を井出ちゃんに差し出した。

井出ちゃんは再びキッチンへ戻った。

男は、グラスに残っていた水割りを、また一気にゴクゴクと最後まで飲み干した。院長が言った。

「山田さん、かなりいける口のようですな」

「え？　酒ですか。そうですねえ。弱い方じゃないですが、どっちかというと食べる方が好きで、メシのときにビールか日本酒か。いや、ウィスキーも好きなんですが、どうもウィスキーはメシに合わない。でしょ？　バーに行って静かに飲むなんてのもガラじゃないですからね。ま、可愛い女の子とデートってんなら話は別ですが。なにせ、私、おっちゃんですからそんなことは皆無なんですよ。付き合ってくれるのは、海と灯台くらいのもんですよ。でもね、灯台ってのは〝男〟だから。ね？　チンポコでしょ、灯台って。はは」

「なるほどね。灯台は男根のシンボルですか。私のような精神病理の畑の人間にとっては興味深いお話です」

「おやおや。そうでしたね。先生は精神病のプロなんだ。こりゃ、滅多なことは言えませんな。口にチャックしとこう。はははは」

院長がそれに対して何か言おうとしたときに、井出ちゃんが三杯目の皿を運んできた。

「どうぞ」

「あ。こりゃ申し訳ない。ありがたくいただきます。いや、これ、ほんとにうまい。お料理、お上手ですねえ」

「そんなことはありませんわ。栄養士からFAXで送られてきたレシピをベースにして、適当に作っているだけです」

「ご謙遜を。それにしてもうまい鶏だ。地鶏ですか、これは」

「いいえ。ニワトリじゃありません。キジですわ」

「キジ？」

「ええ」

「ほおーっ。キジかあ。私、キジ食べるの生まれて初めてです。こんなにうまいものだとは知らなかった。なるほど、密猟する奴がたくさんいるのもわかりました。はい、ありがたくちょうだいいたします。よろしいですかあ」

男はまた皿にスプーンを突っ込んだ。井出ちゃんはそれを見ながら、

「あの、よろしければ、お食事の後、お風呂はいかがですか」

「お風呂？」

「はい。ここのお風呂はとっても広くて、お湯もたっぷりあって、気持ちがいいんですよ。台風に備えて、お湯を一杯に張ってあります。灯台からここまで嵐の中をずいぶんお歩きになったでしょう。お湯に浸かってゆっくりお身体をほぐされるといいん

じゃないでしょうか」

男はスプーンを口に運びつつ、嬉しそうに言った。

「そりゃ最高だ。ぜひ風呂をお借りしたい。ほんとに……よろしいですかあ」

院長は微笑んでうなずいた。

そして空になったグラスをコトリと食卓に置き、左手で短くなったロスマンを灰皿で揉み消し、立ち上がった。

「どうぞ、ゆっくりくつろいでください。ウィスキーもお好きに召し上がって。風呂もね。当クリニックには〝歓待の掟〟というやつがありましてね。私はちょっと診察日誌をやっつけんといかんので今日は失礼しますよ」

そう告げると院長室に向かって歩き去った。足元が微妙にふらついていた。

そのとき、廊下の奥の方から、

「ガスン」

という鈍く大きな音が聞こえた。井出ちゃんはぴくっと表情を引き締めた。

「ま。奥の部屋のどれかの窓に何か当たったわ。見てこなくちゃ。山田さん、申し訳ありませんが、しばらくこども達のお相手でもなさってらして」

男は口一杯に料理を含んだまま井出ちゃんの方を見もせずに、

「ああ、私のことなんか気にせんでくださいよ。私、食べるので忙しいですから」

井出ちゃんは軽く会釈すると廊下の奥へと早足で去って行った。

男とこども達がダイニング・ルームに残った。こども達はいつの間にか椅子を七、八センチずつ寄せ合って、食卓の隅の方でひと塊になっている。男からできるだけ遠ざかろうとしたのだ。全員が凍りついていた。表情はなく、目だけが見開かれて男を注視していた。沈黙が食卓を覆い、聞こえるのは男が物を噛むかすかな音だけだった。

男は黙って食事を続け、やがて三皿目のシチューを食べ終えた。スプーンで皿に残ったホワイトソースを掻き取り、口に運ぶ。さらに男は皿を持ち上げると舌を大きく出して丁寧に舐め回した。茶褐色の舌苔《ぜったい》が男の舌全体を覆っていた。きれいに舐め尽くすと男は皿をどんと食卓の上に置いた。そしてぽっこりと膨れ出た下腹を両手でさすりながら天井を仰いで言った。

「ああ。喰ったなあ」

男はそれからゆっくりと立ち上がった。こども達の方に目をやると、にっこり笑った。こども達はさらに身を寄せ合うようにした。

男は笑みを浮かべたままこども達の方に歩を進め、やがて一番右端にいるとっちゃんの背後に立った。そしてとっちゃんの両肩に優しく双の手を置いた。とっちゃんの肩がびくんと動いた。男は手に少し力を込めると、剽軽《ひょうきん》な調子でとっちゃんの耳元にささやいた。

「とっちゃん？　頭の先までピーコピコッ！」

とっちゃんの全身が硬直した。

「とっちゃん、どうしたんだ、そんなに固くなっちゃって。え。まさかおじさんのこと、忘れました、なんてこたないよな。頭脳明晰なるとっちゃんに限って、まさかなあ」

男は手にさらに力を込めてとっちゃんの肩を揉み始めた。

「相変わらずハマッてんのかい、コンピュータ。あれはけっこうテクノ・ストレスが溜まるから、ほどほどにしといた方がいいぞ。たまにはおじさんみたいに、パーッとビール飲んで。そ。百四十四本飲んで、その後五分間小便するんだ。気持ちいいぞぉ。ん？　あ、そうか、とっちゃんはまだ十歳なんだ。こどもに酒勧めちゃいかんわな。いや、失敬失敬」

男は笑いながら一歩横にずれると、ＥＭＩの肩に手を置いた。

「ＥＭＩちゃん？　頭の先までピーコピコッ！」

ＥＭＩはひっそりと肩をすぼませた。

「ＥＭＩちゃん、おじさん、最近昔ほど大メシ喰えなくなってきたよ。何か舌に変な苔みたいなの生えてくるしさ。胃が悪いのかもしれんな。懐かしいなあ、神楽飯店の『一升チャーハン』。その後ワンタンメンまで喰ったんだものなあ。若かったんだなあ。

でもね、ＥＭＩちゃん。辛いもの食べるの止めたんで、おかげさまで痔は治ったよ。あの二十倍カレーを……」

言いかけて男は急に空を仰いで、「ごぷっ」と盛大なゲップをした。胃酸の饐《す》えたような臭いがＥＭＩの鼻の辺りまで降りてきた。ＥＭＩは軽い吐き気を覚えた。

「おっと、失敬失敬。これがいかんのだな。このでっかいゲップのせいでフラット・マンドリン弾き間違えちゃったんだ。弦も切っちゃうし……。昔の偉い人も言ってるよな、『暴飲暴食少し仁《じん》』ってさ。……んなこた言わないな。ありゃ『巧言令色』だ。いや、おじさん、トンマ、トンマ。あっはっはっは」

大笑いしながら次は静の撫で肩に手を置く。

「静ちゃん？　頭の先までピーコピコッ！」

うつむいてそっと下唇を嚙みしめる静。

「静ちゃん。お父さん、先生、元気？　長いこと会ってないんだよ。先生に言っといてよ。近いうちにあの〝白うるり〟の山田が冷蔵庫の大掃除に参上しますからってな。はははは。いや、ほんとお父さんには世話になっちゃって。就職のことまでさ。だがね、こんなこと言っちゃ先生に申し訳ないけどさ。海上保安庁ってのがまた退屈なところでさ。ヒマだからおじさん献血ばっかし行ってんだ。この前看護婦さんについつい訊いちゃった。〝あの、おれ、エイズはないですか〟ってさ。そしたらさ、〝それは保健所で調べてください〃って言われたよ。冷たいんだよな、献血カーのネエちゃんは。はは。それからな静ちゃん、『キスのすべて』の話はあんまり人にしゃべらないでくれよ。おじさん、こう見えてもけっこうシャイなんだから。ほな、シャイならあ、なんちゃって」

かっちゃんのガッシリした肩が次の標的だ。

「かっちゃん？　頭の先までピーコピコッ！　ん。かっちゃん笑ってくんないわけ？　そうだよなあ。かっちゃんって笑うのヘタだもんな。相変わらずやってんの、格闘技。いっぺんＫ－１こどもの部か何かに出なよ。それともおじさんのジークンドーと試合してみる？　いや参ったよ、あの通信教育には。ペラペラのテキスト三冊とビデオが一本送られてきただけだよ。それで四万二千円も取りやがって。ありゃ詐欺だよ、サギ。でもな、おじさん、やっぱり格闘技には向いてないわ。足、上がんないんだもんな。死ぬ前のジャイアント馬場でもおじさんよりは足上がってたよ。『ザ・殺人術』もさ、十頁読んだら眠っちゃったもんな、ほんと。ま、人間、平和が一番だよ。愛と自由と平和だよ。ね。格闘技なんて要らない世界に早くなって欲しいよ。さて、と。最後は君だな」

男はみっちゃんの後ろに立つと、その肩にそっと手を置いた。みっちゃんは目をカッと見張って前方を見つめていたが、実は何も見てはいなかった。硬直したその上半身は細かく痙攣《けいれん》しており、食卓の下に隠れた膝はガクガクと震えていた。

「頭の先までピーコピコッ！　ん？　ボクはあんまり見慣れない子だな。でも……でもついさっきに初めて会ったぞ。え……と。……みっちゃん。そう、みっちゃんだ。♫みっちゃんみちみちウンコして♪のみっちゃんだ。会うのはこれが二回目だ。よろしくな、みっちゃん！」

　みっちゃんの膝の震えは益々激しくなり、その揺れはやがて上半身にまで及んでいった。

　男はポンと手を打って言った。

「そうだみっちゃん。お近づきの印に、おじさんと一緒にお風呂に入ろう。お風呂に。な？」

　みっちゃんはわずかに口を開いて痰がからんだような小さな声で答えた。

「いえ……け、けっこうです」

　男は笑ってみっちゃんの背中をどんと叩いた。

「バーカ。何を恥ずかしがっとるんだ。男同士じゃないか。仲良くなるにはお互いまっ裸になって風呂に入るのが一番なんだ。背中を流してやるよ。それにな、女の子のいるとこで言っちゃ何だが、おじさんのおチンチンはけっこう笑えるぞ。仮性包茎なんだ。ビョーンと伸ばせば蝶々結びができる。コンドーム要らない。それに短小。十一・二センチ。あーっはっはっはっは。さ、何ぼうっと座ってんだ。早く立って、おじさんを風呂場へ案内してくれよ。え、みっちゃんてばさっ」

男はみっちゃんの両脇に腕を差し入れると力を入れて無理矢理にみっちゃんを立たせた。

「さ、風呂場はどこだ」

みっちゃんはカクカクとした奇妙な歩き方で前に進んだ。

「こっちです」

みっちゃんは進み、男はその後に付いて行った。やがて二人は廊下へ出て、残りのこども達の視界から消えた。


「ね、とっちゃん。これってどういうことなの」

ＥＭＩがまっすぐ前を見たまま隣りのとっちゃんに尋ねた。低く、抑えた声だった。とっちゃんはＥＭＩの横顔に視線をやって答えた。

「どういうことって。……ぼくにもわからないよ。なにがなんだか、さっぱりわからないよ」

静が口を開いた。細い声にかすかなヴィブラートがかかっていた。

「なにがなんだかって。……いるじゃない……山田のおじさん、いるじゃない。ごはんたべて、おおきなゲップしたじゃない。あれって、山田のおじさんじゃない」

とっちゃんは食卓に肘を付けて両手で頭を抱え込んだ。必死になって錯乱した自分の思考を整理しようとしている。長い間、とっちゃんは考え、やがて呟いた。

「だめだ。やっぱりだめだ。ぼくにはわからない。山田のおじさんがなぜいるのか、ぼくにはせつめいできない」

ＥＭＩは静の右腕を手探りで探り当て、両腕で抱きしめた。

「あたし……いや。こんなの……やだ」

静はＥＭＩの腕にそっと左手を添えた。

「わたしも……いやよ。わたしたち、頭がどうかしちゃってるの？　院長先生のくれたおクスリのせいで、げんかくでもみてるの？　ね、とっちゃん、ちゃんとわかるように、わたしたちにせつめいして。ね、とっちゃん、おねがい、なにかいって」

とっちゃんは頭を抱えたまま、苦しそうに呻《うめ》いた。

「いや。なにもいえない。頭のなかがまっ白で、なにもかんがえられない。ぼく、でんちがキレちゃったんだ」

かっちゃんは腕を組んでずっと黙っていたが、やがてその唇に笑みが浮かんだ。

「ね、とっちゃん。いいかげんにしてあげなよ。女の子たち、こわがってるじゃないか」

「かっちゃん、なにいってるの。それ、どういうこと？」

かっちゃんは立ち上がって、とっちゃんの抱えられた頭に向かって静かに語りかけた。

「きみが頭がいいのはよくしってる。でも、イタズラのセンスまであるのはしらなかった。こういうのはね、アメリカのことばで、なんとかいうんだ。え……と。そ。〝プラクティカル・ジョーク〟っていうんだ。アメリカの人はよくこういうことやるんだ。それにしても、とてもよくできてる。でもね、女の子こわがらせちゃいけないよ。たのしみはそれくらいにして、はやく、ちゃんと、ネタをばらしてあげなよ」

EMIと静がかっちゃんを見上げた。とっちゃんは頭から手を離して、やはりかっちゃんの顔を見上げた。かっちゃんは微笑みを浮かべたままだったが目は笑っていなかった。とっちゃんの目を鋭く見つめている。

「いいかげんにしないとさ、ぼく、おこるよ。しってるかどうかしらないけど、ぼく、おこると、こわいよ」

EMIがかっちゃんに言った。

「ね、かっちゃん。なにをいってるの。どういうこと？」

かっちゃんは数歩進んで、とっちゃんの肩に右手を預けた。

「とっちゃんはね、まえから山田のおじさんとしりあいだったんだ。ふるいともだちなんだ。そして山田のおじさんが三日まえにこの島のとうだいにくることもしってた。だから、一《ひと》しばいうったんだよ。ぼくたちをびっくりさせるためにね。とってもこうみょうなつくりのジョークなんだ。頭のいいとっちゃんでないと、こんなことかんがえつけないよ」

ＥＭＩがいきなりとっちゃんの頰を平手でパシッと打った。そして叫んだ。

「とっちゃん、ひどいっ。やりすぎよ。シャレになんないわよ」

静も肯いた。

「わたし、もうすこしでしんぞうがとまるところだった」

とっちゃんはヒリヒリする頰を手で押さえて大声を出した。

「ちがうっ！　ちがうよ。ぼく、そんなことしてないよ。ぜったいにしてないよ。ぼくはそんなわるふざけをするような子じゃないんだ。ジョークなんか、すきじゃないんだよ」

かっちゃんがとっちゃんの髪を後ろに引っ張って顔を仰向かせ、目と目を合わせた。

「じゃ、ほかにどんなせつめいのしかたがあるんだい。これしかかんがえようがないじゃないか。みんな、とっちゃんがしくんだんだ」

「ちがうっ。ちがうよっ。どうしてぼくのことしんじてくれないんだ」

静が顔を前に向けて呟いた。

「ちょっとまって」

静は少し考えてから言った。

「おかしい。たしかに、とっちゃんのイタズラだったってことしかかのうせいはないの。でもね、山田のおじさんがどんなおじさんかっていうのは、とっちゃんだけがしってたことじゃないのよ。たとえば……山田のおじさんがわたしのお父さんのせいとで、いえにきてはれいぞうこをカラッポにするっていうのはわたしがかんがえたのよ。〝白うるり〟。夏目漱石のしょうせつのなかにでてきたことばよ。わたしがかんがえたのよ」

ＥＭＩが眉をひそめて自分の頭の中を探った。

「そういえば、山田のおじさんがおおぐいだっていうのも、あたしのアイデアよ。一升チャーハンもワンタンメンも二十ばいカレーもおじさんの〝ぢ〟もフラット・マンドリンもゲップでコードをおさえまちがえたのも、みんな……みんなあたしのアイデアよ」

かっちゃんが目を空ろにして呟いた。

「ジークンドー、つうしんきょういく。……ぼくのはつあんだ」

とっちゃんは、肩に置かれたかっちゃんの手を握りしめた。

「ほら、そうだろ。おかしいだろ。山田のおじさんは、ぼくたちがみんなでつくりあげたんだ」

そう言ってからとっちゃんはギクッとした表情になった。

「ということは……。かんがえられることは一つだけだ。あの山田のおじさんは、ぼくたちみんなの〝そうねん〟が〝じったいか〟したものなんだ」

かっちゃんが叫んだ。

「そんなバカなことがあるもんか。そんなこと、そんなこと、ぜったいにありえないよ」

とっちゃんは言った。

「かっちゃん。このよに〝ぜったい〟なんてないんだよ。……ぜったいにね」

かっちゃんは握りこぶしで自分のこめかみをグリグリとねじって押した。やがて、ハッと頭を上げた。その唇にまた笑みが浮かんだ。

「ふふ……ふふ……はっはっはっは」

一同が驚いてかっちゃんを見た。ＥＭＩが、

「どうしたのかっちゃん。なにがおかしいの」

かっちゃんは笑い続けながらＥＭＩと静の方を向いた。

「ふふ。もうちょっとで、かんぺきにとっちゃんのワナにひっかかるところだった」

「なに、かっちゃん。ワナって、どういうこと？」

「とっちゃんはね、ぼくたちのしらないあいだに山田のおじさんのデータをメールで、とうだいにいる山田のおじさんにながしていたんだよ。ぼくたちがかんがえた山田のおじさんじょうほうは、ぜんぶ山田のおじさんにツツヌケだったんだ」

「ちがうってば！」

とっちゃんが半泣きの声で喚《わめ》いた。

「ぼく、そんなことしてないよ。どうしてしんじてくれないんだ」

静はじっと考えていた。そして言った。

「山田のおじさんが、わたしたちの〝そうぞうのさんぶつ〟か、それともとっちゃんのイタズラか。みわけるほうほうは一つしかないわ」

「なに、それ」

ＥＭＩが尋ねた。

「山田のおじさんの、あたらしいとくちょうを、いま、ここでつくるのよ。たとえば、お鼻のてっぺんにおおきなホクロがあるとか、そういうわかりやすいとくちょうを。そしてそれをデータ・ファイルにかきこむの」

ＥＭＩが間髪を入れずに言葉をつないだ。

「山田のおじさんはいま、みっちゃんといっしょにおフロにはいってる。とっちゃんが山田のおじさんにあたらしいじょうほうをとどけるほうほうはないわ。お鼻のてっぺんにマジックでホクロをかくことはできないわ」

とっちゃんがすっくと立ち上がった。そしていきなり駆け始めた。駆けながら叫んだ。

「コンピュータ・ルームだ！」

ＥＭＩ、静、かっちゃんがその後を追って走った。

コンピュータ・ルームのドアは半開きになっていて、そこから煌々《こうこう》と光が洩れていた。まっ先に走り着いたとっちゃんはＭＡＣの前に座り、素早く操作して画面を立ち上げた。三秒遅れで三人が駆け込んできた。

キーを叩いているとっちゃんが首をかしげて呟いた。

「おかしいな……」

「なに？　どうしたの」

と、かっちゃん。

「じょうほうりょうがふえているんだ」

「ふえてる？　どういうこと」

「ちょっとまって」

とっちゃんはモニター画面をスクロールした。ＥＭＩ、静、かっちゃんが顔を揃えて画面を覗き込んだ。画面の一番下に、

『山田のおじさん　データ・ファイル№.31』という表示が現われていた。とっちゃんは下にスクロールした。何行かの文字が現われた。ＥＭＩがそれを声に出して読んだ。

『山田のおじさん　データ・ファイル№.31――山田のおじさんのしょうたい』……なに、これ」

静が続きを読んだ。

『山田のおじさんは、いっけんふつうのおもしろいおじさんだが、じつは、くるっている』……え？」

かっちゃんが後を続けた。

『山田のおじさんはキチガイなのだ。山田のおじさんは、であったニンゲンはぜんいんころしてしまうのだ。七月十七日　はつあんしゃ』」

全員が同時に声をあげた。

『みっちゃん』!!」

こども達はしばらく呆然としてモニター画面を眺めていた。

「……どうしよう……」

と、静が呟いた。

その呟きとほぼ同時に、廊下の向こうのバスルームの辺りから、

「きゃーっ」

という悲鳴が聞こえた。井出ちゃんの声だった。声は続いた。

「誰か、誰か早く来てっ。みっちゃんが」

リビング・ルームの床の上に全裸のみっちゃんが横たわっている。院長がその上にかがみ込んでみっちゃんの腕を取っている。その横で心配顔で覗いている井出ちゃん。こども達はその二人の反対側に、みっちゃんの身体をはさんで並んでいる。そこから三メートルほど離れたところに、男がバスローブ姿でぬぼうっと立っていた。頭にバスタオルを巻いている。


院長が眉をひそめた。

「いかん。脈が停止しかけている」

院長はみっちゃんの上に馬乗りになって、全体重を乗せてみっちゃんの心臓の上を押した。一度、二度、三度。三度目に〝ぼき〟と鈍い音がした。肋骨が折れたのだ。院長はそれでもかまわずに、四度、五度と心臓を押す。そして腰を少し後ろにずらすと、みっちゃんの左胸に耳を当てた。

「よし。動き出した。井出ちゃん、発見から何分たっている」

井出ちゃんは腕時計を見た。

「二分と四十秒です」

院長は目を閉じた。

「微妙なところだな。三分以上、脳に血液が行っていなかった場合、みっちゃんは〝植物状態〟になる。湯も大分飲んでいるようだな。気管から肺に入っていなければいいが。チューブを通して吸い出せればいいんだが、その設備はうちにはない」

井出ちゃんが言った。

「取りあえず、マウスを……」

「そうだな」

院長はみっちゃんの首の後ろに腕を入れて少し持ち上げ、頭部が床に対して六十度になるようにした。みっちゃんの口に自分の口を近付けながら、

「井出ちゃん。点滴準備。ジギタリス成分のものが薬棚の二段目に三本ある。左端のを持ってこい」

「はい」

院長はみっちゃんの口に大きく息を吹き込んだ。何度も何度も。

ＥＭＩが尋ねた。

「院長先生。みっちゃん、たすかるの？」

院長はもう三回、息を吹き込むと顔を上げ、ＥＭＩを見た。

「わからん。みっちゃんは、血圧降下剤を飲むのをサボってたんだ。なのに急に風呂

に入ったから発作を起こしたんだ」

「……たすけてよ……」

　ＥＭＩの両目からボロボロと涙が溢れ出てきた。それは小川を成して、つんとした小さな鼻の両横を伝って流れ落ちた。ＥＭＩは激しく叫んだ。

「先生、おいしゃさんなんでしょ。えらいおいしゃさんなんでしょ。だったらたすけてよ。みっちゃん、たすけてあげてよ。おねがい。あたし、うたったり、おどったりしてみせてあげるから。……おねがい。たすけ……て……」

　あれほどみっちゃんを憎んでいたＥＭＩが、今はみっちゃんのために泣いていた。キュートな顔はくしゃくしゃに歪んでいた。

　井出ちゃんが点滴のセットを運んできた。床にそれを立てると、高さを調整し、みっちゃんの上腕をゴムできゅっと縛った。点滴用の注射針をみっちゃんの肘の少し下に突き刺す。井出ちゃんは眉間にシワを寄せた。

「……逃げるわ。血管が細い。……あ、入った」

　院長は白衣のポケットに手を入れると、ロスマンの箱を取り出した。一本抜いて口元に運びながら、男の方を見た。

「山田さん。どんな状況だったんですか」

　男は耳の後ろをタオルで拭きながら、のんびりした口調で答えた。

「それがねえ。よくわからないんですよ。先に出たんですね、私。カラスの行水ですから。そのときにはみっちゃんは、呑気な感じでお湯ん中にいましたよ。うん、首まで浸かってたなあ。まさか心臓発作起こすなんてね。そんな気配は全然なかったっすよ」

とっちゃんが男を振り返ってきっと睨み、鋭く叫んだ。

「うそだっ」

男はぽかんとして、

「え？　何だい。何言ってんだい」

と尋ねた。とっちゃんは男を睨み続けた。

そのとき、みっちゃんの唇がかすかに動いた。小さな声が洩れた。院長はそれに気付いて、床に膝をつくとみっちゃんの口元に耳を寄せた。みっちゃんの唇がまた少し動いた。院長は身を起こすと、くわえていたロスマンに火を点けた。

「だめだ。囈言《うわごと》だ。意識は戻ってない」

かっちゃんが院長に尋ねた。

「院長先生。みっちゃん、なんていったんですか」

院長は天井に向けて煙を吐き出しながら、

「え、いや。別に意味はない。ただの囈言だよ」

かっちゃんは院長に二、三歩にじり寄った。

「うわごとでもいいからおしえてください。みっちゃん、なんていったんですか」

院長は笑った。

「はは。君もおかしな子だな。なぜそんなことを聞きたがるんだ。意味のないことを言ったんだよ、みっちゃんは」

「なぜかくすんですか、先生」

「いや、別に隠したりなんかはしていないよ」

「なら、おしえてください」

「いや、別にいいよ。そんなに言うなら教えようか。みっちゃん、こう言ったんだよ」

院長は近くに灰皿があるのを認めて、そちらへ歩きながら答えた。

「〝山田のおじさんにはおヘソがない〟。みっちゃん、そう言ったんだよ」

「え」

かっちゃんは固まった。途端に男が大口をあけて笑い出した。

「あーっはっはっはっは。こりゃいいや。傑作だな。せっかくおチンチン見せてやったのに、お返しが〝ヘソなし人間〟か。はっはっはっは。全く、こどもってな、面白いもんですね、先生」

とっちゃんが、男を凝視したまま呟いた。

「ないんだろ」

男は笑顔のままで、

「え？」

と言った。とっちゃんは男をじっとまっすぐに見詰め続けて、もう一度言った。

「ないんだろ、ヘソ。あるんなら、みせてみろよ」

院長も笑った。

「ははは。どうしたんだい、とっちゃん。君みたいな賢い子が、どうしてまたそんなバカなことを言うんだ。いいかい、君も知ってるように、人間は哺乳類だ。哺乳類は母親の胎内でヘソの緒で繋がって栄養分や酸素を摂取する。そうして大きくなっていくんだ。だから、哺乳類には必ずヘソがある。もしヘソのない哺乳類が存在するとしたら、そいつは『母親のお腹から生まれてこなかった』、そういうことになるんだよ。そんなことが有り得ると思うのかい。え、とっちゃん。君はみっちゃんの囈言を信じるのかね、それとも論理的な真実を信じるのかね。え、どっちなんだ」

とっちゃんは全く表情を変えずに答えた。

「ぼくは、しんじつをしんじます。山田のおじさん。ヘソがあるのならみせてください」

井出ちゃんが突然きりっとして言葉を放った。

「いい加減にしなさいっ」

井出ちゃんはこども達を眺め渡して言った。

「お客様に対して失礼でしょ。バカなこと言って。とっちゃん、山田さんに謝りなさい。でないと……でないと井出ちゃん怒るわよ」

「井出ちゃん、おこっちゃダメっ」

静が半泣きの顔を井出ちゃんに向けた。

「井出ちゃんは、いっつもやさしくて、にこにこしてて、〝いいのよ〟っていってくれなくちゃダメ。井出ちゃんは、おこっちゃダメなのっ」

井出ちゃんは、ハッとした顔になった。

そこに男が割って入った。

「ああ、いやいや、いいんですよ。私、全然気にしてませんから。ね、こどもの言うことなんだから。こどもってのは、何言い出すかわかったもんじゃないんだから。こどもってのは、ま、言やぁ酔っ払いによく似てるんですよ。人の言うことは聞かないし、急に訳の解らないこと言い出すし。ね。こどもは何言っても許されるんですよ。そこはそれ、こどもなんだから。ね。叱らないでやってくださいよ」

男はまたとっちゃんの顔を見て笑った。

「とっちゃん。じゃ、おじさんがほんとのこと教えてあげようか。確かにね、おじさん、ヘソないんだよ。おじさん、ニンゲンじゃないから。〝人でなし〟だから。だからね、ひどいことするんだよ、おじさんは。みっちゃんもね、心臓発作で溺れたとかそんなんじゃないんだよ。おじさんがね、みっちゃんの頭つかんで、こう、ギューッとお湯の中に押さえ込んで、息ができないようにしてやったんだよ。だから見てなよ。もうじき死ぬよ、みっちゃん。おじさん、狂ってるから、会った人間はみいんな殺しちゃうんだよ」

男はさらにニタニタ笑うと、胸の前でパンと両手を叩いた。

「どうだい。これで満足したかい、とっちゃん。納得いったかい。ん？」

とっちゃんは黙ってこっくりと肯いた。

「いや、山田さん、それじゃいけませんよ」

院長がこども達を見回して言った。

「とっちゃん、ＥＭＩちゃん、静ちゃん、かっちゃん。君達はこの台風と、突然の珍客の山田さんの出現と、みっちゃんの発作のこととが重なって、頭が混乱している。冷静になれと言っても無理な状態だ。メジャー・トランキライザーをもう少し投与する必要がある。みんな、私の部屋に来なさい。話も少ししよう。井出ちゃん、君はみっちゃんの状態をよく見ているように。頼んだよ」

「はい。承知しました。さ、みんな、院長先生のお部屋に行きなさい。大丈夫よ、井出ちゃん、もう怒ったりしないし、みっちゃんのこともちゃんと見てるから」

四人のこども達は院長に引率されて、ノロノロとした足取りでリビング・ルームを立ち去り、廊下へと向かった。

そのとき、カランと金属質の音がした。井出ちゃんが見ると、暖炉の火掻き棒が床に倒れていた。〝後で直しとこう〟。井出ちゃんは別に気にも留めなかった。

リビング・ルームには井出ちゃんと男だけが残った。男はバスタオルで首の辺りを拭きながら、ソファにどすんと腰を降ろした。井出ちゃんはみっちゃんの点滴装置の按配をチェックし直していた。

「いやはや、大変なことになっちゃったですね」

井出ちゃんは点滴装置の高さを調整しながら答えた。

「ほんとに申し訳ございません。こども達がおかしなことばっかり言って。ご不快でしたでしょう」

男は笑った。

「はは。いいんですよ。こどもの言うことですから。……ま、ね。大人ってのはこどもから憎まれるのが役目みたいなもんですから」

「そんなことありませんでしょ」

「いやいや。そうなんですよ。こどもから憎まれる。それが大人の仕事ですよ。ところで、夕食ご馳走さまでした。とてもうまかったです。デザートなかったけど」

井出ちゃんはハッとして立ち上がった。

「失礼いたしました。お風呂の後でなんて順番がおかしいですけれど、リンゴをお剝きしますわ」

「え？　看護婦さん、みっちゃんの看病でお忙しいでしょ。いいですよ、デザートなんて」

「いいえ。私もここのソファに座って、みっちゃんの状態を静観しているだけですから。リンゴをお出しするくらいの時間はありますわ」

「そうすか。じゃ、甘えさせてもらおうかな」

「少々、お待ちください」

井出ちゃんはキッチンに向かうと、やがて大きなリンゴを二つ、平皿を一枚、短かめの果物ナイフなどを両手に持って戻ってきた。男の向かいのソファに腰を降ろし、リンゴをひとつ手に取ると、ナイフで静かに皮を剝き始めた。素早く、適確な、慣れた動作だった。皮がするすると一本の帯になって垂れ下がっていく。男はその様子を眺めて、

「うまいっすね、剝くのが。リンゴ一個、一本の皮の帯になるまでちぎらずに剝ききれるんじゃないですか？」

「ええ。それは。毎日のことですから、慣れれば誰でもできます」

「そうかなあ。私はダメですよ。剝いてもやたらに部厚く削っちゃうし、途中でちぎれるし、指はケガするし。不器用なんすよ。あれ？　その果物ナイフは刃が白いですね」

「セラミック製ですから」

「セラミックですか。よく切れそうだ」

井出ちゃんは一本帯にリンゴの皮を剝き終えると、それを芯を中心に八つに切り割り、中心の種の部分をくりぬき、皿に載せ、小さなフォークを添えて、男の前に置いた。

「はい、どうぞ」

「あ、こりゃすいませんな。いただきます」

男はリンゴの一片を口に入れると、シャクシャクと嚙みながら言った。

「ちょっとその、え、と、セラミックのやつ、見せてもらえますか」

井出ちゃんは黙って男に果物ナイフを手渡した。男はナイフの刃先を自分の顔の前にかざして、目を近づけ、じっと見た。

「ほう。こりゃ鋭利にできてるなあ。先もよく尖ってる。ステンレスとかスティールの包丁はすぐ刃が円くなるからその度に研がなきゃいかん。このセラミックなら磨滅しないでしょ。研がなくていいでしょ？」

「ええ。研いだことはありませんわ」

「そうだろうなあ。世の中進むとこうなっちゃう。刃物研ぎ業者はもうじきみんな破産ですな」

　男はそのままナイフを見詰めていた。井出ちゃんが言った。

「うつ病の患者さんがいらしたときには、こういう刃物類は全部所定の場所に隠すんですのよ。自殺念慮が出る場合があって、危険ですから。うちには、院長先生が大きな魚をさばくマグロ包丁までありますから。けっこう大変なんですのよ。ふふ」

「へえ、そうなんだ。ん。何だっけ。あ、そうそう、さっきの話、大人はこどもに憎まれるのが仕事だって話。私はね、こう思うんですよ。憎まれたっていいじゃないかってね。大いに憎まれればいいんだ。憎しみが強ければ強いほど、大人の存在ってものがクッキリしてくるじゃないですか」

「え。クッキリ？」

「そう。クッキリする。もちろん憎しみだけじゃない。友情、愛、ね。はは、私は誰かから愛されるなんてシロモノじゃないすけど。その愛とかね、友情とかね、それから憎しみとか。何ていうかな。そ、〝想い〟ね。相手の〝想い〟が強ければ強いほど、私ってものはクッキリ存在してくる。もし、もしもですよ、私が誰からも何も想われなかったとしたら、私ってものはいない。そんなもんじゃないんすかね」

「はあ」

「私の言うこと、おかしいですか。私、キチガイみたいに見えますか」

「いいえ、全然」

「ほんとに？　私、キチガイに見えません？」

「ええ。すごく普通ですわ。私も精神科の看護婦ですから、狂っている人は、見ればすぐに解ります。山田さんには狂気のどんな徴候も見受けられませんわ」

「へえ、そうなんだ。へえ、そうなんだ……」

男はナイフを見ながらまた呟いた。

「ヘソなんだ」

「え？　何ですか」

「ヘソなんだ。ね。やっぱり、なくちゃ変ですよね。ヘソがないとまずいっすよね」

「何をおっしゃってるのか、よく」

「看護婦さん、あなただけに言いますけどね、私、ヘソないんですよ。ほら」

男はソファから立ち上がって、バスローブの前を開き、井出ちゃんに自分の下腹部を見せた。井出ちゃんは男の腹をじっと見て、そのまま凍りついた。

「ね。ないでしょ、ヘソ。こりゃ、いかんわなあ。常識外れだ。そうだ、こうしよう。ヘソを作ろう」

男はそう言うと、セラミックの果物ナイフの切っ先を自分の突き出た腹の真ん中くらいに当て、

「この辺りかな」

腕に力をこめて、切っ先を腹にぷすりと刺し入れた。刃先は腹に二、三センチ喰い込んだ。男はさらにそのナイフをぐりぐりとひねり、回転させながら、さらに突っ込んだ。そして、ナイフを引き抜いた。腹には直径二センチくらいの穴が開《あ》き、やや黄色味がかった白い皮下脂肪が一瞬覗けた。が、それはすぐに流出する多量の血液によって隠れてしまった。男の腹の穴から、血が二筋、滝になって伝い落ち、男のトランクスに滲み始めた。

「ね、どうです。ヘソに見えますか、どうですか。よろしいですかあ?」

井出ちゃんは金縛りにあったように身動きひとつせず、男の腹の穴と流血を凝視していた。目はカッと一杯に見開かれ、美しい唇が微妙に震えていた。

男はにっこり笑うと、

「私ね、変なんすけど、痛点ってのが無いんですね。だから、こんなことしても全然

痛くない。はは。例えばほら、こんなことしたって」

男は右手を顔まで持ち上げると、ナイフの先を自分の右目の瞼《まぶた》に突き刺した。目頭に。そしてそのままナイフでぐりいっと半円形に瞼の皮下組織を切り進んでいった。刃先はやがて目尻に届き、瞼の切断は終わった。男は左手で右目の瞼をひょいと摘み取ると、井出ちゃんに向けてゆらゆら振って見せた。井出ちゃんはその切られた瞼の揺れを目で追っていた。男が自慢気に、

「ね。こんなことしたってさ。ね。痛くも何ともない。変だろ？　そう、変なんだよ。狂ってんだよ。私、キチガイだから。人でなしだから……。え、と。何だったっけ」

男の右目瞼跡から大量の血が流れ出していた。男は切断された瞼を口の中にぽいと放り込むと呑み下し、にたりと笑った。男の右目は上半分が露出していて、完全に白目がむきだしになったが、すぐにその露出した眼球を鮮血の河が覆った。右目は血で真っ赤になり、さらに下瞼を越えて溢れ出し、男の頬を伝って唇にまで流れた。

男はナイフに目を落として考え込んだ。

「何だっけ。あ、そうそう。ヘソに見えるかって訊いてんだよ。どうですかあ。よろしいですかあ？」

「キチガイ……」

男は血笑《けっしょう》した。

「だから、キチガイだってさっきから言ってってっじゃねえか。それより、訊いてんだよ」

　男はテーブルの横を通って井出ちゃんの前に近づき、果物ナイフを頭上に振りかざして、割れ鐘のような大声で怒鳴った。

「ヘソに見えるかって、訊いてんじゃねえか。え？　この……おらあっ！」

　井出ちゃんは咄嗟《とっさ》に立ち上がり、男に背を向けて、廊下へ向かって走り出そうとした。男は果物ナイフを右手に握り、柄の尻を左手でカバーすると、井出ちゃんが向けた背中の中心目がけて全身で体当たりした。ナイフは「握り」の部分だけを残して、深々とその背中に突き刺さった。

「はうっ」

　と井出ちゃんが呻いた。


「どうして君達みたいな賢い子が、そんな馬鹿げたことを言うんだね。君らは頭がどうにかなってるんじゃないのか」

　院長がテーブルの向こうの椅子に座り、前に並んで立っている、とっちゃん、かっちゃん、ＥＭＩ、静を眺め渡していた。語調は険し気で、イライラしているようだ。まだ酔っているのだ。いつもの温和で冷静で知的な院長らしくない、荒々しい気を放っている。とっちゃんが院長に言った。

「ほんとなんです。ぜんぶほんとなんです。ぼくたちのいったこと、ぜんぶぼくたちがしたことです。そしてこのことがおこったんです。院長先生、ぼくたちをしんようしてください」

院長はロスマンに火を点け、ぷはっと盛大に煙を吐いた。こども達に向かって。

「想念が実体化する？　そんなことが有り得るものか。私は擬似科学者じゃない。エジソンみたいなオカルティストでもない。よく心理学は科学じゃない、みたいなことを言われるが、そんなことはない。心理学は今や大脳生理学と直結して、ニューロン、レセプター、脳内麻薬、ドーパミン、セロトニン、それらをレセプターが受容しないことによって起こる、うつ病。三環系抗うつ剤、メジャー&マイナー・トランキライザー。微量金属。ね。亀の子だよ。分子レベルで脳の疾患を治療する。科学だよ。根本になるのは深層心理学だ。私は比較的急先鋒のユング派の心理学者だ。きちんとした学者であり、医師だ。そう、多少酔ってはいる。だが理解力、洞察力、推理力、直感は鈍っていない。君達ほどに混乱し、興奮し、集団的ヒステリーに陥ってはいない。私は冷静だ。……想念が実体化する？　大人をからかうんじゃないよ。いい子だから。しいいかい？　物質の究極の最小単位はクォークだ。宇宙はクォークでできている。しかし宇宙の九十九・九九九九九九九九九九％は『真空』だ。ほとんど何もない。だが我々は存在する。クォークによって物質的に存在する。もっとも、クォークってやつは点滅している、つまり、有ったり無かったりするらしいがね。ま、そんなことはどうでもいい。だから何度も言うが、これは完全に科学的な判断だ。人間の、脳の、想念、ヴァイブレイション、波、波の形、連続、そういったものの集積である想念、記憶、そういった情報がクォークに、分子に、物質に仮託、マップ、されることなどは、論理的に考えて、絶対に不可能、有り得ないことだ。これが私の、大人の意見だ。君達が錯誤している。違うかい？　え、とっちゃん」

一息で長々としゃべり切った院長の指先のロスマンは、もう短くなり始めていた。

とっちゃんは、きっ、と姿勢を正して、院長に向かって話しかけた。

「いえ、院長先生。〝そうねん〟は〝じったいか〟するんです。プログラムがあれば、それはもうすでに〝そんざい〟しているんです」

「コンピュータの中のプログラムとしてね。見ることはできるが、触ることはできない」

「プログラムとハンドをれんけつすれば、さわることができます」

「チップから取り出せない。形にできない」

「できます。えきかプラスティックのプールをつくって、そこにＣＴスキャンでぶんだんしたじょうほうを、しがいせんにマップしてほうしゃすれば、えきかプラスティックはそのヒカリどおりにかたまっていきます。それをずっとつづけていけば、プログラムどおりのモノになります。ぼくは球のなかに竜を一ぴき、ふうじこめようとしてプログラムをつくったりしてました。みっちゃんがこわしちゃったけど。だから」

院長がとっちゃんの声を、大声で妨げた。

「だからそれでできるのはプラスティックの塊だ。たしかにプログラムの物質化した物だ。だが、生命はない。生きてはいない。君達の言ってるのは別の話だ。こどもの夢だ。真実ではない」

「いえ。プログラムがあるかぎり、それはそんざいし、なぜ、どうやってか、それはわからない。けど、じったいかすることはかのうです。だって、山田のおじさん、いるじゃないですか」

「いるよ。君達の空想の被害をこうむって、化物呼ばわりされてね。今、リビング・ルームにいるよ。たしかにね」

「ぼくたちは、くうそうはしました。でも、ウソはいってません」

かっちゃんは黙って二人のやり取りを聞いていたが、やがておずおずと言葉を口にした。

「あの……。とっちゃんのいってるのは、こういうこと？　たとえばさ、ここにくうそうのドッジボールがあるとするよ。ぼくがもってる。くうそうのドッジボールだよ。

それをこうやって」

かっちゃんは両手で架空のボールをつかんで見せた。

「これをこうやって、ほら、とっちゃんに投げつける。おもいっきりつよく。あたるといたいよ。なげるよ。それっ」

かっちゃんはボールをとっちゃんに向かって勢いをつけて投げつけるふりをした。

とっちゃんは咄嗟に上半身をひょいっと右側に移動させて飛んでくるボールを避けた。

かっちゃんが言った。

「こういうことだね」

とっちゃんが肯いた。

「そういうことだよ」

「つまり、このボールは、ない。ないけど、くうそうされている。くうそうされたボールをとっちゃんになげる。すると、とっちゃんはそのボールをよける。とっちゃん、そういううごきをする。とっちゃんをそういうふうにうごかせるってことは、このくうそうのドッジボールは、ない。ないけど、ある。そういうことなんだね」

「そうだよ。そのとおりだよ。かっちゃんって、あんがい頭がいいんだね」

「バカだとおもってたんだ、ぼくのこと」

「ごめんね」

院長はいらだたし気にロスマンを揉み消し、新しい一本を取り出して口にくわえた。

「いいよ」

ライターを近づけながら、

「何をこども同士で了解し合ってるんだね。君達の言ってることは私だって理解できるよ。だがね、信じない。私は信じない。私は大人だ。こどものファンタジーに付き合うつもりはない。馬鹿げたゲームには与《くみ》しない」

ライターの炎が上がって、煙草の先端に接触しようとしたそのとき、井出ちゃんが院長室の入り口から入ってきた。ゆっくりとした足取りだったが、目が虚ろで、上体が左右にかくかくと揺れていた。院長はロスマンに火を点けると、一服吸ってから言った。言葉と同じリズムで口から煙が出た。

「おう、井出ちゃん。どうだい、みっちゃんの具合は」

井出ちゃんは無言のまま更に二歩進み、それからゆっくりとビールの壜が倒れるように九十度前に倒れ、リノリウムの床に全身を打ち当てた。その背中にはナイフの柄が突き立っていた。刀身は井出ちゃんの体の中に刺さっている。柄の部分から腰に向けて血の筋がピンクのナース服を真紅に染めていた。

驚いた院長は、煙草をくわえたまま、瞬時に井出ちゃんに走り寄り、左手首を取って脈を調べた。脈は弱いが、あった。井出ちゃんは顔を床につけたまま、かすかに何か声を出した。呻き声。違う。院長は床に這いつくばって、井出ちゃんの耳元に顔を近づけた。

「どうした、何があった、何を言ったんだ、井出ちゃん。もう一度言ってくれ」

井出ちゃんは、さらに小さな声で何か言った。院長はそれを聞き取った。と同時に、院長の指先で感知していた井出ちゃんの脈が途絶えた。井出ちゃんは、カッと目を見開いたまま絶命した。院長は、すっと立ち上がるとこども達の方に向き直った。そして言った。

「とっちゃん。君はすぐにコンピュータ・ルームに行って、『山田のおじさん データ・ファイル』を全て、至急消去してくれ。私はここでピストルを装備して、十秒後にコンピュータ・ルームで君と合流する。君をガードする」

ＥＭＩが叫んだ。

「どうしたんですか院長先生。なにがあったんですか。井出ちゃんだいじょうぶなの。井出ちゃん、なにいったんですか」

院長はＥＭＩの質問に答えず、自分の話を続けた。

「それから、ＥＭＩちゃん、静ちゃん、かっちゃん。君達三人はすぐにこの建物を出て、山の洞窟へ避難し、隠れていたまえ。私が救けに行くまで、じっと動かず、ウロウロせずに。いいね。では行動開始」

こども達は即座に反応し、行動し始めた。コンピュータ・ルームへ行くために院長室を早歩きで出ながら、とっちゃんが院長に尋ねた。

「院長先生。井出ちゃん、なんていったんですか」

院長は書類ケースの上の青磁の壺に向かって進みながら答えた。

「〝山田のおじさんにはオヘソがない〟。井出ちゃん、そう言ったんだ。とっちゃん、君が正解だ。私は了解した。だから早く行きたまえ。私もすぐに行く」

こども達は素早く院長室を立ち去った。

院長は青磁の壺の中からピストルを取り出すと、弾倉の中身を確認し、撃鉄を起こした。煙草はくわえたままだった。消している時間がなかった。

出口に身体を向け、歩き始めようとしたそのとき、ドアのすぐ近くから男の声が響いてきた。

「よろしいですかあ？　院長先生、お邪魔してもよろしいですかあ」

院長はテーブルの前に腰を押しつけ、やや がに股に足を開いて、重心をヘソの下あたりに据えた。ピストルをドアに向けて構えた。右手でスナップを握り、人差し指をトリガー・ガードの鉄輪の外に置いた。左手で、右手をカヴァーした。そして低く呟いた。

「どうぞ。お入りください」

ドアの入り口に男が姿を現わした。右手に何かをぶら下げているが、それを右脚の裏に隠している。おだやかな微笑を浮かべている。

「先生んとこの台所には、凄いモノがありますねえ。私、見てビックリしちゃった。ほら、こんなの」

男は右手にぶら下げていた物を前に出して見せた。院長がこの前こども達のために大きなハタをさばいて見せた、あのマグロ解体用の包丁だった。刃渡り一メートルはあるだろう。ギラリと光っていた。

「マグロ用の包丁だよ。人間用ではない」

院長は照星を男の心臓の辺りに合わせながら、言った。

「そんな蛮刀では私の銃には勝てない。賢いお前なら解るだろう。言え。なぜ井出ちゃんを殺した」

男はマグロ包丁の背を右肩に預けながら、のんびりと答えた。

「え、なぜ？　なぜって……そりゃ、生きてたからっすよ」

男はふてくされたように肩を揺すって見せた。

「私、キチガイだからね。会った人間はみいんな、殺しちゃう。ね？」

院長は男を見据えて言った。

「いいか。あんたが何者かは知らん。が、でかい包丁を持っている。私は自分を守らねばならない。この手の先にあるのは、コルト社のパイソンだ。美しい、機能美に溢れたチャカだ。昔、ネバダ州で十万円で買って、国内に持ち込んだ。弾丸は357マグナムだ。熊でもぶっ飛ぶようなタマだ。タマは五発入っていて、今、撃鉄を起こした。弾倉が回転して撃鉄がハンマーできる状態だ。シングル・アクションっていうんだよ。知ってるかい」

「いや。知らねえなあ」

「今、トリガー・ガードの中に指を入れた。一瞬で撃てる状況だ。私は的は外さない。日本の警察官よりははるかに撃った回数が多い。ケタが違う。照準はあんたの心臓にぴったり絞ってある。日本人はピストルを上から下へ振り下ろす癖がある。日本刀の伝統のせいだ。外国の連中はそんなことはしない。下から上へ上げて狙いをつける。その方が方向修正しなくてすむ。合理的だ。私はその程度のことなら何でも知っている。指はトリガーに当たっている。あとは、あんたがどう出るかだ。決めろ。自分で」

男は、ハッと腰を落とすと両脚の裏を「ハ」の字に踏み、両腕に力を込めて、両手でマグロ包丁を握りしめ、右肩の上高くにかかげると、言った。

「先生。言っただろ、私はキチガイだって。鉄砲が怖くてキチガイがやってられるかよ。え？　おらあっ！」

男が包丁をかかげて前へ一歩踏み出したその瞬間、院長はトリガーを引いた。ヴァンッという重い爆発音がして、弾丸が銃口から飛び出した。煙はその後に出る。かなりの反動が院長の両肩に返ってくる。なに、大したダメージじゃない、大丈夫。タマは。

タマは正確に直進して、男の心臓の右心室の皮下組織を破壊し、右心室を貫通して肋骨の間を抜け、背の肩甲骨の下、五、六cm辺りに、ラッパの先のように広く大きな風穴を開けた。つまり、貫通したのだ。

「うっ」

と呻いて、男が、二、三歩後ろへ退いた。

「私のコルトは」

院長はなおも狙いをつけながら呟いた。

「夕陽に向けられるものであって、決してニンゲンに向けられることはない。哺乳綱・霊長目・ヒト上科・ヒト科・現世人類、に対しては向けられることはない。しかし、こうしてあんたを撃った。あんたはヒトか？　なら撃たなかったよ。人類ならね」

そのとき、院長の頭をふと昔のB級ポップスのミディアム・ヒット曲が流れた。それは『ザ・キングスメン』というバンドの『ルイ・ルイ』なるタイトルの曲だった。

人類の「るい」が「ルイ・ルイ」を連想させたのだろう。院長は男の反応をうかがいながら、軽く「ルイ・ルイ」を口ずさんだ。

♫ヘイ、通りを歩いていると
　前からお前がやってくる
　半分こそげた化粧でさ
　右目の回りに青いアザ
ルイ・ルイ　オウ、ベイビー・ジャスト・アイブ・ガッタ・ゴー♪

十七、八歳くらいの頃に、深夜放送で聴き覚えた曲だ。下品な歌詞らしくて、イギリスでは放送禁止になった。でも、日本ではO・Kだ。院長はその頃、フェンダーのムスタングを一台持っていて、そいつで『ルイ・ルイ』をよく弾いた。ギターも歌もけっこう上手かったのだが、実のありそうな医学の道を選んだ。医者になった。しかし、自分は医療器具など持たず、楽器を持つべき人間なのではないか。ましてや、殺人用の銃器を持って、相手を撃つなど……。

男が襲ってくるその一瞬に院長の脳裡をよぎったのがそんな考えだった。男はまた襲ってきたのだ。二、三歩後ずさった後、また体勢を立て直し、マグロ包丁を振りかざして喚きながら院長の首目がけて。院長は即座に的に銃口を修正し、二度目のトリガーを引いた。一発目は心臓を外れたのか。いや、そんなはずはない。貫通した。しかし、まだ襲ってくる。二発目の弾丸は、またほぼ同じ場所、心臓の右心室に的中し、今度は背骨で止まった。それは手応えで解った。二発目の弾丸は自己防衛云々ではなく、明らかに「殺意」そのものが発射され、男を射たのだった。

それでも男はまだ生きていた。右目の眼球が剝き出しになっていて、そこから血がどくどく溢れている。開いたバスローブの中心が腹で、その腹に大きな穴が開けられていて、そこからも大量に出血している。そして、今、二発、命中した357マグナムの弾丸。心臓にあいた二重の穴から消防車のホースの水のように噴射される、血。血のスプリンクラー。返り血は院長の白衣の裾にまで飛んできた。

それでも、男は、まだ生きていた。また二、三歩後ずさり、踏み止《とど》まり、そして背をすっと伸ばし直した。右の、無い瞼の切り際がピクピクと動いている。どうやら、ウィンクしているようだ。院長は銃を持ち上げて、男の眉間の少し上、いわゆる「第三の目」のある所を狙って、三度目の銃弾を発射した。弾丸はヒットした。男の額と頭蓋骨をぶち抜き、脳中の松果体《しょうかたい》の部分で止まった。男はぐらりと大きく揺らいだ。院長はなおも撃ち続けた。殺意だけが指を導いていた。四発目は鼻頭に、五発目は腹部のレヴァーに命中した。六発目。カチッと空しい音がした。そうだ。弾丸は五発しかなかったのだ。

「全部、当たった。……有効に……」

院長は机に沿って、ずりっずりっと腰を落としていき、やがて床に尻を降ろした。ピストルを握った両腕を、開いた両脚の間に落とし込んでいた。男は床に倒れていて、ぴくりとも動かなかった。院長はそれを眺めて、ふうっと息を吐き、肩を落とした。右手のピストルを引き離し、鼻の付け根をぐっと指で押さえた。頭痛がした。涙と鼻水がなぜかたくさん出てきた。ティッシュはなかった。院長は白衣の袖で目と鼻を拭き、それから白衣のポケットを探った。右ポケットにいつものロスマンの箱とライターが収まっていた。院長はそれらを取り出し、一本抜くとくわえて火を点けた。

「ふう〰〰っ」

と声を出して溜め息と煙を吐いた。

コトリ

と小さな音がした。院長はビクッと煙草の先を震わせて、きっと男の方を見た。男の右手のマグロ包丁の刃の向きが、倒れたときと逆になっていた。

〃つまり、男が手を裏返したんだ。動かしたんだ。死後の筋肉のケイレンか。それともまさか……〃

「そうさ、生きてるのさ」

大声で怒鳴りながら、男がむっくりと上半身を起こした。そして次に膝を曲げ、立ち上がった。にたりと笑った。男はだらりとぶら下げていた右腕のマグロ包丁に徐々に力を込め、ゆっくりと上方に上げていった。包丁は男の頭上まで上がって、そこで止まった。

院長の声が震えた。

「なぜだ。なぜ、生きてる。あんなに」

「なぜ？　なぜだ？」

男はせせら笑った。そして怒鳴った。

「それは、それは『死なない薬』を付けたからだっ！」

マグロ包丁が院長の頭頂目ざして振り下ろされた。包丁は院長の百会《ひゃくえ》（脳天）から頭蓋骨を断《た》ち割り、大脳の中心部近くまで喰い込んだ。院長は死亡した。

〈八〉

とっちゃんはコンピュータ・ルームに駆け込んだものの、MACの前に立ち尽くした。

〝どうしよう〟

山田のおじさんのデータ・ファイルを消してしまうのにはいくつかの方法があった。その方法を選ぶのにとっちゃんは迷ったのだ。

〝一ばんはやいほうほうは、このMACの山田さんを、ぶっこわしてしまうことだ。でもかわいそうだ。ぼくが山田さんって名付けてあげたぼくのともだちだ。球のなかの竜も、またつくりはじめたところだ。もったいないデータがたくさんつまってる、このMACには〟

このMAC全体を物理フォーマットで初期化する。とっちゃんはそれも考えてみたが、結局はMACを叩き壊すのと同じことだった。球の中の竜も消えてしまう。おまけに完全に初期化するのに一、二時間はかかる。時間は限られているのだ。院長が「山田のおじさん」をうまく倒してくれればいいが、もし万一そうでなかった場合を考えれば、次にねらわれるのは自分だ。たぶんあと二、三分が勝負だ。とっちゃんはそう考え、てのひらにじんわり汗がにじむのを感じた。

〝よし。ふつうのほうほうでやろう〟

とっちゃんは椅子に座り、ＭＡＣの電源を入れた。画面右下にポツンと「ゴミ箱」のアイコンが現われた。とっちゃんはそのゴミ箱の中に『山田のおじさん　データ・ファイル』を1から31まで全て放り込んだ。そしてそのゴミ箱を「空《から》」にした。これで山田のおじさんのデータは全て消去された。とっちゃんはパイプ椅子の背もたれの後ろで腕を組み、「ほう〜ッ」と息をついた。

〝おわった。これで山田のおじさんは、もうかげもかたちもない〟

外では暴風雨が益々強くなっているようで、悲鳴のような風音がしている。その荒荒しい音の中に、

はたり
はたり

と小さな足音が聞こえた。その音は廊下の方から聞こえ、徐々にコンピュータ・ルームへと近づいてきた。とっちゃんの耳が前後にぴくっぴくっと動いた。とっちゃんはそのときになって、自分が耳を動かせるのだということを発見して、少し驚いた。

足音はコンピュータ・ルームの入り口手前でぴたりと止まった。低く、くぐもった声が聞こえた。

「とっちゃん、全て、終わったよ」

とっちゃんは、MACのスウィッチをOFFにしてから尋ねた。

「院長先生、山田のおじさんは？」

低い声はさらに低く、押し殺したように答えた。

「なあに、ちょろいもんさ。わしが五発ぶち込んでおダブッにしてやったさ」

とっちゃんの顔からザッと血の気が退《ひ》いて青白くなった。とっちゃんは静かにデスクの抽き出しを引いた。中には文具類や便箋などが入っている。とっちゃんはそれら雑物の中から大型のカッターナイフを取り出した。カルルルと刃を引き出す。そしてコンピュータと入り口横にあるソケットとをつないでいるコードを手元にたくし上げ、斜めにスパッと切断した。声はまだ続いていた。

「なあ、とっちゃん。厄介なことも済んだことだし、ここはひとつお祝いのドッジボールでもせんかね」

「ことわるよ」

とっちゃんは入り口をきっと睨んで答えた。

「断る？　どうしてだね。一緒に楽しもうじゃないか。え？」

とっちゃんは抑え気味の声を入り口に向けて放った。

「あなたがほんものの院長先生なら、〝わし〟なんていいかたはぜったいにしない」

声は陽気、呑気な口調で言った。

「おやおや、バレちゃったか。うーん。おじさん、是非ともとっちゃんとドッジボールがしたいんだがなあ。ボールだってふたつも持ってきたんだよ。とっちゃんは〝どっちボール〟? なんつって。シャレ言ったりして。さあ、どっちのボールがいい?」

入り口にチラリと右腕、左腕が見え、ふたつの物体を投げ込んだ。いびつなその球体はごろごろと部屋の床を転がり、デスクを少し過ぎた辺りでふたつがかち合って止まった。そしてかすかに揺れた後静止した。とっちゃんはそのふたつの物体を凝視し、二秒後に強烈な吐き気を覚えた。

それは院長とみっちゃんの首だった。

みっちゃんの首は、くっきりと突き出した喉仏の辺りで切断されており、元々老人臭い顔が首狩り族の生首のミイラのように枯れしぼんでいた。生きていたときの傲慢《ごうまん》さは消え、「微笑んでいる干柿」といった風情であった。耳の穴から生えた白い毛が返り血で赤く染まっていたが、首切断面からの血はほとんどなかった。

院長の首は横倒しになっていた。いつもの寛容な表情は失せ、目をカッと見開いた驚愕の面相であった。頭頂部から額の三分の二くらいまでが何か重い刃物で断ち割られ、その割れ目から血に染まった脳髄が覗いていた。しかも、その口には院長愛用のロスマンが十数本くわえさせられており、そのいずれにも火が点けられ紫煙をくゆらせていた。首の転がされてきた跡にも三、四本のロスマンが煙をあげて落ちていた。

とっちゃんは吐き気をこらえてふたつの首を見詰めていたが、やがて顔を上げ、ドアの入り口を正視した。

そこに、ゆらりと男が姿を現わした。

バスローブの前をはだけて、下にはパジャマのズボンをはいている。バスローブの心臓のところに大きな穴、右腹に小さな穴が開き、おびただしい血が流れていた。さらに男の眉間の上辺りにまた穴。そして男の鼻は目も当てられぬほどに破壊されていた。それらの弾痕《だんこん》からもだらだらと出血している。腹の下側にはえぐり取ったような穴が開き、そこからの出血は半ば乾きかけていた。えぐり取られた右目の瞼は白目も黒目もまっ赤な鮮血で覆われていた。男はその無い瞼でぴくぴくとウィンクをした。

「院長先生はねえ、ひどいことをするんだよ。おじさんに拳銃でね、五発も撃ちこむなんてぇおイタをするんだよ。だからおじさん言ってやったよ。〝こらっ、水の入ったバケツ両手に下げて廊下に立っとれっ〟てね。とっちゃんは知らないかな。昔はよくそういうお仕置きがあったんだよ。つらいし恥ずかしいしね。でも院長先生はバケツ持とうとしなかった。だからこれでね」

男は後ろに隠していたマグロ包丁をとっちゃんに見せた。それはギラリと光っていた。

「脳天唐竹《からたけ》割り、ジャイアント馬場がよくやってたやつ、喰らわしてやったさ。それから首をすぱっとね。ふふ。そいでさ、みっちゃんの寝てるリビング・ルームへ行って……。みっちゃん、咳をして少し苦しそうだったよ。だからいっそのこと楽にしてあげようと思ってね。ふたつ目のドッジボールを作ったんだ。とっちゃんと遊ぼうと思ってね。みっちゃんの首は細くて血管がもっこり浮いてたな。細いから一発で斬れるかと思ったら、どっこい。このマグロ包丁がね、院長の血と脂でぬるぬるになっててよく斬れないんだ。だからノコギリみたいにして斬ったよ。みっちゃん、ギューともウーとも言わない。ありゃ、ほとんど死んでたんだな、うん。良いことした後は気分がすがすがしいよ。日本の医療界も安楽死は認めるべきだな。で、おじさん、キッチンへ行って、この包丁を洗剤できれいに洗ったのさ。一ヵ所だけ刃が欠けてたよ。院長の頭をかち割ったときに刃こぼれしたんだな、うん。でもきれいになったしまた使えるようになったよ。とっちゃんにも試してみようかな。どうですか、どうですか。殺してもよろしいですかあ？」

とっちゃんは男の血まみれの顔と身体、そしてマグロ包丁を観察していた。ヒザがかくかくと動くのをどうしても制御できなかった。喉元にこみ上げてくるものがあって、呼吸もうまくできない。やっとのことで深く息を吸い込むと、とっちゃんは冷静を装って言葉を放った。

「ペラペラしゃべって、ずいぶんごきげんだね、おじさん」

男は仮面を穿《うが》ったような笑みを浮かべてみせた。

「え？　そりゃおじさん、首狩り族の一員だものな。コレクションが増えるのは気持ちのいいものさ。とっちゃんもおじさんのコレクションのひとつになるんだよ。あと一分でさ」

「そううまくいくかな」

とっちゃんの右頬に、不敵とも思える笑いが浮かんだ。

「おじさんのデータはすべてしょうきょしたんだよ。なのになぜここにいるんですか」

男は困ったような声で答えた。

「そりゃとっちゃん、むずかしいところだな。たとえばさ、君がコンピュータのデータを消去する。だがね、そこには消去した『跡』というものができるだろ？　その痕跡を修復していけば、データは元どおりになるじゃないか」

とっちゃんはハッとした。やはりハードディスクをぶっ壊しておくべきか、全てを初期化しておくべきだったのだ。

男はさらにたたみかけた。

「そもそもだな、おじさんがいるからコンピュータがあるのか、データがあるからおじさんがいるのか。その辺はファジーだと思うんだよ、な？　データにおじさんの一個一個の細胞、ミトコンドリアだのDNAだの、そんなことまで打ち込んであるかい？　んなわきゃないわな。人間の細胞って百兆個くらいあるんだぜ。コンピュータ、容量オーバーでぶっ壊れちまうぜ。卵が先か鶏が先か。そんな不毛な議論はやめにしようや。それより三つ目のドッジボールをおじさんにくれよ、な、とっちゃん。あんさんにゃ何の恨みもござんせんが、渡世の義理で、魂《たま》を取らせていただきやす」

言うなり男は右手のマグロ包丁を振りかざし、とっちゃん目がけて突進してきた。

とっちゃんはコードの切れたMACを両手に持った。

男は包丁を力一杯振り下ろした。

とっちゃんはMACを持ち上げて顔前に差し上げた。

ガツッと音をたてて、男の包丁がMACに当たった。それはモニター画面に数センチの深さでひび割れを刻んだ。男はなおも包丁をかかげると、二打、三打とMACに刃を叩きつけた。殺意の塊のような、固い打撃。とっちゃんはその度に腕の痺《しび》れを感じた。足が一歩、二歩と後ろへ退《の》いていく。男は、

「ちっ」

と舌打ちすると、今度は横殴りに包丁の方向を変えた。とっちゃんも鋭敏にMACを持ちかえ、ガッッと音を立てて男の刃を防いだ。男は次には袈裟《けさ》斬りにしてとっちゃんに襲いかかった。とっちゃんはそれも素早くMACで受けた。MACの表面はもうボロボロに破壊されていた。

〝もっとこわれろ。ボロボロのくずになるまでこわれろ。おまえはじぶんじしんをはかいしているんだ〞

と、とっちゃんは心の中で叫んでいた。そう考えると少し勇気が出てきて、とっちゃんは前に一歩足を踏み出した。そしてもう一歩。床下にさっき切断したコードが横たわっている。男が包丁を振り上げようとしている隙に、とっちゃんはそのコードを拾った。先端はソケットに差し込まれている。もう一方の端は鋭角に切り込まれた切断面だ。とっちゃんは右手をMACに、左手にコードを掴んだままMACに添えて、男に向かって突進した。男は両手でマグロ包丁を掴んで振り上げていたために腹部がガラ空きの状態だった。そこにとっちゃんのMACが激突した。男は、

「ぐっ」

と呻いて前のめりになり、包丁を持った右手と左手で自分の腹を押さえた。下腹部にえぐった傷にもろにコンピュータのボディが当たったのだ。前のめりになったそのときに男の首筋にスキができた。それをとっちゃんは見逃さなかった。とっちゃんは

ＭＡＣを男の首に思いっきり叩きつけた。男は、
「はぶっ」
と奇妙な声を洩らした。とっちゃんはもう一度男の脳天からＭＡＣを叩きつけた。
と、さっき男の包丁が斬りつけたその刃の跡の通りにＭＡＣがまっぷたつに割れた。
とっちゃんはふたつに割れたＭＡＣを床に捨てた。そして中指と薬指にはさみ持って
いたコードの先端の切り口を男の首の上に密着させた。男の身体に百ボルトの電流が
走った。男は、
「くっ」
と呟いて身体を震わせた。とっちゃんはコードを押し当てながら、声を出して数を
数えた。
「いち　イワシ
に　ニシン
さん　サンマ
し　シマアジ
ご　ゴンズイ
ろく　ムツゴロウ
ひち　ヒラメ

はち　ヤマメ
きゅう　クロダイ
とお　トビウオ」

約二十秒かけてとっちゃんは数を数え終わった。電流を流していたコードをそっと離す。男は非常にゆっくりと前に倒れていった。

〝やった。ぼくはやった。リアルなゲームをぼくはやりとげた。こいつは三、四ぷんはいしきがないだろう。かたをつけるならいましかない。どうしよう。ナワでしばる？　そんなあまいことじゃだめだろう。ころす？　そうだ。ころしてしまおう。あいてはこんなにでかいホウチョウをもっておそってきたんだ。院長先生も井出ちゃんもみっちゃんもみんなころされたんだ。だからころしてしまおう。せいとうぼうえいだ、せいとうぼうえい〟

とっちゃんは心を決めると、うつ伏せになっている男の右手からマグロ包丁を取り上げた。ずいぶん持ち重りのする包丁だったが何とか頭上に振り上げた。そして男の背に向けて怒鳴った。

「三つ目のドッジボールはおまえだっ」

男の首めがけて振り下ろそうとした一瞬を縫って、男がコロリと仰向けに百八十度回転した。ニタリと笑っている。

とっちゃんは狼狽したが、〇・五秒で気を持ち直し、包丁を男の首に向けて振り下ろした。が、男はその刃を両の掌《てのひら》ではっしと受け止めた。受け止めたその刃を男はぐりっと右にひねった。剛力であった。包丁の柄はとっちゃんの掌の中で回転しつつ前に引かれ、とっちゃんの掌からひっこ抜かれた。

「見たか真剣白刃取《しらはど》り」

男は自慢気に言いながら、包丁を右手に持ち直し、ゆっくりと立ち上がった。左の目でとっちゃんを見据え、口走った。

「並の者《もん》にできる芸当じゃないぞ。まあ、おじさんくらいのキチガイでないとな、できない」

とっちゃんは呆然として男の顔を眺めていた。男はさらにひきつった笑いを浮かべた口で言葉を続けた。

「それにしてもだ。電気か。参ったなあエレキには。おじさんシビれちゃったよ。ま、とっちゃんくらいのガキにゃエレキもいいかもしれないが、一生聴くならモダンジャズかブルーグラスだな。奥が深いんだよ。ことにブルーグラスのバンジョーのあの超絶技巧な。とっちゃんが聴いたらビックリ仰天、ひっくり返っちゃうぜ。な、ひっくり返してやろうか、え？　とっちゃん坊やよ。殺してひっくり返してもよろしいですかあ？　よろしいですかあ？」

男のそれまでたれていた目が、次第に目尻が吊り上がり、眉根に険しいしわが寄った。下からねめあげるような悪鬼のごとき目付きになった。だが口だけは笑っている。

とっちゃんはもはや手に一物も無く、呆然自失していた。

「これはゆめだ。わるいゆめをぼくはみているんだ……わるいゆめを……」

とっちゃんはぽそぽそと呟いていた。男はそれを聞いて笑った。

「へっ。悪い夢だと？　その悪い夢は正夢《まさゆめ》だよ。悪い夢を終わらせてやろう。よろしいですかあ？　殺しても、よろしいですかあ？　ん、返事もできないくらい悪い夢なのか。よろしいですか、って！」

男はマグロ包丁を振り上げて怒鳴った。

「訊いてんだよっ！　おら、このっ」

男の力のこもった一撃がとっちゃんの首を横なぎにした。首の皮一枚を残してとっちゃんの首が斬られ、頭部はかくんと右に傾いて、骨、筋肉、血管、脂肪の切断面が覗けた。その直後に頸動脈から鮮血が噴出し、その血は天井にまで届いて天井を赤く染めた。

とっちゃんの身体は右に重心が移ったためにゆっくりと右にかしいでいき、やがて加速度をつけて右方に倒れた。

とすっ

と儚《はかな》げな音がした。とっちゃんは泉下《せんか》の人となった。

と、同時に部屋の灯り、廊下の灯りが消えた。全館の灯りが消えた。停電したのだ。


かっちゃん、EMI、静はリビング・ルームの入り口で歩を止めた。

彼らは院長に「山の洞窟に隠れろ」と命ぜられたにも拘らず、まだリビング・ルームでウロウロしていた。なぜなら玄関を通ることができなかったからだ。玄関のドアは部厚い樫《かし》の木で、閂《かんぬき》様式の鍵がかかっていた。これを外すのは造作のないことだった。三人が力を合わせて引いてドアを開いた。開いてみるとそこに金属製のシャッターが降りていた。このシャッターは三人で力を合わせてもびくとも動かなかった。かっちゃんはシャッターの一番底部を探してみた。小さな鍵穴がみつかった。シャッターは鍵で閉じられていた。井出ちゃんが鍵をかけたのだ。おそらくは〝山田のおじさん〟が訪れ、導き入れたその直後に。静が口を開いた。

「どうしよう、カギは井出ちゃんがもっているわ。院長しつのなかに井出ちゃんのしたいがある。そのポケットにきっとカギがあるはずよ。どうする？　院長しつまでもどってさがす？」

EMIが叫んだ。

「いやよ！　そんなこと、おぞましい。したいのポケットをさがすなんて、あたしできない」

「でもそれしかほうほうがないじゃない」

「それなら静ちゃんがひとりでいってきたら?」

「なによそれ。EMIちゃん、わたしたちおともだちでしょ?」

「それはそうだけど、あんまりウロついたら山田のおじさんにあうかもしれないじゃない」

「まあまあ、ドゥドゥドゥドゥ。ふたりとも気をおちつけて。かんがえてみなよ。このたてものの出入り口はひとつじゃないよ。うら口があるじゃないか。いったことないけど、あのろうかのどんづまりをみぎにおれたところにうら口があるじゃない。あそこまでいってみよう。カギがかかってないかもしれない」

EMIと静が頷いた。

「うん、そうしよう」

「山田のおじさんは、とっちゃんがMACのじょうほうをけしただろうから、きっともういないよ。でも、ねんのために、ろうかをぜんそくりょくではしっていこう。よし、じゃあ、いいかい? はしるよ。ワン、ツゥ、スリー、そら、はしれっ」

三人は廊下の入り口に立ち、一斉に走り始めた。かっちゃんの走りは異常に速く、百メートル十一秒を切っているのではないかと思えた。ハッハ、スッスッと正確な呼吸法で走っていた。運動神経抜群のＥＭＩでさえかっちゃんに相当遅れていた。静に至っては段々と遠ざかり小さくなっていくかっちゃんの後ろ姿を見つめるばかりであった。

かっちゃんは廊下のどん詰まりの直前に九十度角度を変え、裏口に辿り着いた。裏口はごく普通のガラス張りのドアだったが、ノブの下に鍵穴があり、しかも外側にシャッターが降りていた。

そこにＥＭＩ、静の順で女の子たちが息を切らせてやってきた。

「どう？　かっちゃん。ドア、どうなってる？」

かっちゃんはドアのノブを握って押し引きしてみたが、やがて苦い顔で舌打ちした。

「だめだ。ここもカギがかかってる。外はシャッターがおりてるし」

静が言った。

「でもおそらくシャッターにはカギがかかってないかのうせいがあるわ」

「このうちがわのドアはひらかないんだよ。どうやってそとがわのシャッターをあけるのさ」

「ガラスを。ガラスをわればいいのよ」

「ガラスを？　……そうか、ガラスをわっちゃえばいいんだ」

かっちゃんは両手を大きく広げてドアのガラスにぴたりと当て、次に上体を後ろに反らせてふいっと息を吸い込むと、ガラス目がけて思いっきり頭突きを入れた。

ぼふ

聞き慣れない音がした。ガラスはヒビひとつ入らず、元のままであった。かっちゃんは声を落として言った。

「ちくしょう。これはガラスじゃない。きょうかプラスティックかなんかだ。だんりょくがあってよくしなる。ずつきじゃわれない。きんぞくバットでたたいてもムリだろう」

ＥＭＩが眉を曇らせた。

「どうしてそんなモノをつかってるの？」

「たぶんこういうことだよ。このクリニックはそりゃらくえんみたいなところだけれど、ほんとのところはせいしんびょういんだ。だから〝うつびょう〟の人だってはいってくる。うつびょうの人は〝じさつねんりょ〟っていって、じさつをはかることがおおい。首をつったり、手首をきったりね。だからこのドアがガラスせいだとしたら、そのうつびょうの人はこれをたたきわって、そのするどいカケラで手首をきったり、のどをついたりするだろう。だからわれないきょうかプラスティックをつかっているんだ。そうおもうよ」

ＥＭＩは指をパチッと鳴らし、

「かっちゃん、さえてるう。まるでとっちゃんがのりうつったみたい」

静がこめかみを両手でぐりぐり押しながら言った。

「ごめいさん。ね、かっちゃん。で、わたしたちはどうしたらいいの？」

かっちゃんもこめかみをぐりぐりした後、発言した。

「へへ。ぼくたちにはまだかち目はある。それは、ぼくたちまだ入ったことないけど、井出ちゃんの〝ナース・ルーム〟ってのがあるんだ。そこで井出ちゃんは、しりょうをせいりしたり、でんわをうけたりかけたり、ようするにしごとをしてる。そこへいけば、ひょっとするとカギがあるかもしれない」

「そのナース・ルームってどこにあるの」

「院長先生のへやのとなりだよ」

「いきましょう」

静が強く言った。三人はまた走り始めた。ほんの十秒足らずで皆はナース・ルームに到着した。確かに院長室の隣りで、駆けこんだ一同はその部屋の壁を見て、ほっとした。右の壁面にずらりとプラスティック製のフックが十数個ついており、鍵がついていた。そのフックの上にそれぞれ「玄関シャッター」「裏口ドア」「裏口シャッター」「コンピュータ室」「倉庫」などとマジックで書かれたガムテープが貼られてあった。

「やった。これでげんかんからでられるぞ」

かっちゃんはその鍵をわし摑みにすると、

「さ。みんな、いこう」

と言うなりＥＭＩと静を先導した。

「いいかい、みんな。よこ一れつになってすすむんだよ」

「うん、でもどうして？」

と静。

「山田のおじさんはどこからおそってくるか、わからないからさ。たて一れつになってると、うしろの人からおそわれるかもしれない。いちばんまえの人をおそうかもしれない。だからよこ一れつにならぶんだ。ＥＭＩちゃんはあのだんろのあるかべにそって。いちばんみぎがわだ。静ちゃんはまんなか。ぼくがひだりのはしっこを歩く。ぼくだけがせんとうのうりょくがあるからね。はしっこできみたちをまもってあげる。いいね」

ナース・ルームを出ると、三人横一列になって歩き始め、リビング・ルームに着いたそのときだった。院内のすべての灯りが、ふつりと消えた。それはとっちゃんの命の灯りが消えた瞬間でもあった。

「あ。ていでんだ」

かっちゃんが小さく叫んだ。

突然三人は真の暗黒に包まれた。鼻をつままれてもわからない、まさにこの慣用句そのもので、こうして見るとこのリビング・ルームには窓というものが無かった。有ったとしても、地の草も吹き飛ばすような闇の大嵐である。星も月も出ていない。とにかく三人にとっては世界中全てが漆黒だった。

「どうしよう、かっちゃん」

EMIが弱々しく尋ねた。

「しんぱいすることは何もないよ」

かっちゃんは自分に言い聞かせるのも含めて、力強く答えた。

「よし、みんなで手をつなごう。EMIちゃん、静ちゃん、ぼくのじゅんだよ。そうそう。にぎった手ははなさないでね。このままずっとみぎのほうへあるいていく。カニあるきだよ。よこへよこへ。そう。そのうちにみぎがわのかべにあたるよ。そろそろっとしずかにね」

EMIの細い肩に壁がこつんと当たった。

「かべに、あたったわ」

とEMIが報告した。かっちゃんが声をひそめて呟いた。

「よし、じゃあ、まえに向かってすすもう。あわてないでね、ゆっくりね」

一同はゆっくりと暗闇の中を手をつないで進んだが気がせいていて、早く玄関に辿りつきたい、その思いを捨てきれず、ついつい早足になった。かっちゃんと静は普通に足を上げて歩いていたが、ＥＭＩは音をさせまいとして、相撲取りのように摺《す》り足で歩を進めていた。壁に右半身を預けて進んでいたＥＭＩは途中で二センチくらいの出っ張りに下半身を当てた。

「だんろに当たったわ。ここはだんろのはしっこよ」

と、かっちゃんに告げた。

「じゃ、はんぶんきたな。げんかんまであと七メートルくらいだ」

再び進み始める。

一メートルほど進んだところでＥＭＩが、

「きゃっ」

声をあげて前方へ倒れた。

静とつないでいた手がほどけた。

ＥＭＩは前に転倒した際にいやというほど膝を床に打ちつけた。

ごき
と嫌な音がした。

「ＥＭＩちゃん、どうしたのっ!?」

と、かっちゃんが驚いて尋ねた。

「何かがあしくびにひっかかったのよ」

「何かって？」

かっちゃんは静の手を放し、闇の中を手さぐりした。そしてＥＭＩの足を探り当てた。そのキュッと締まった足首に、確かに何かが絡まっていた。かっちゃんはその絡みついている物をＥＭＩの足首から外すと、闇の中、手を使ってその物を端から端まで触ってみた。

「これは……だんろの〝ひかきぼう〟だ」

「うん。リビング・ルームからでていくときに、カランて音がしたのをきいたんだ。きっとそのときにひかきぼうが倒れたんだ。それよりＥＭＩちゃん、どう、ケガしてない？」

ＥＭＩは自分の膝をかかえて呻いた。

「おもいっきしケガしてるみたい」

「みせてごらんよ」

かっちゃんはＥＭＩの手を膝からどかさせ、自分の掌をＥＭＩの足に置いた。まず足首を調べる。右左上下に動かしてみる。

「あしくびはだいじょうぶだ」

次に脛《すね》を下から押さえ上げていく。

「よし。すねももんだいない」

「かっちゃん、おいしゃさんみたい。どうしてだいじょうぶだとわかるわけ？」

静が尋ねた。

「かくとうぎをやってたからさ、骨がおれたとか、足にヒビがはいったとかさ、いろいろあるわけさ。だから、かんたんなせっ骨じゅつくらいは身につけてるんだよ。よし、じゃあヒザをしらべよう」

かっちゃんはＥＭＩの膝へ手をやった。ＥＭＩが、

「いやらしいヒザのさわりかた、とかしないでよ、かっちゃん」

「ＥＭＩちゃん、冗談言ってる場合じゃないよ。これは……」

かっちゃんは慎重にＥＭＩの膝を探りながらたしなめた。

「これはみぎのヒザのおさらがわれてるよ」

「え？　でもぜんぜんいたくないわよ」

「つよくうったからマヒしてるんだ。そのうちにはげしいいたみがくるよ」

ＥＭＩは自分の膝を抱いて、

「どうしよう。あたし、どうくつまでいけなくなっちゃった」

そう言った。

「そんなよわきなこといっちゃだめだよ」

かっちゃんはEMIの肩を探し当て、手を置いた。静も、

「ほんとよ、EMIちゃん。がんばらなくっちゃ」

「だって、どうくつってやまのまんなかにあるんでしょ。あたし、そんなとこまでいけない」

EMIの声には涙が混じっていた。かっちゃんはEMIの両肩に手を置いて揺さぶった。

「だいじょうぶだよ、EMIちゃん。ぼくがおんぶしていってあげるからさ」

「でもね、あたしをおんぶしていったりしたら、あるくスピードがおそくなるわ。そしたら山田のおじさんにおいつかれちゃう……でしょ？」

「しんぱいはいらないよ。ぼくはヒンズー・スクワット、千回できるくらい足腰をきたえてるんだから」

「でも、山田のおじさんは」

「山田のおじさんはね、もうきっととっちゃんがコンピュータのデータを消して、いなくなっちゃってる。だからやまのどうくつへいくってのは、もしかしたらムダ足なのかもしれない。でもね、ねんのため。それだけのことなんだよ。院長先生がいった、はじめてのめいれいなんだ。だからいうこときかなくちゃ。ね？　さ、ぼくの背中に

のっかって」

かっちゃんが背中を差し出した。ＥＭＩは仕方なくその背に乗った。

「はは、ボインがあたる」

「バカ。かっちゃんのバカ」

「静ちゃん、このカギでシャッターを開けてきて」

かっちゃんから手渡された鍵を受け取ると、静は見えもしない相手に向かって頷いた。手を前にして異物がないかどうかを確かめながら、じんわりと前に進んでいった。やがて静は玄関の樫の木のドアを手で探り当てた。その向こうが金属製の、鋭い波目をしたシャッターだ。その底の方を、腰を下げて触ってみる。あった。小さくぼんだ鍵穴が。そこに鍵を差し入れ、ねじる。カキッと音がして施錠が解けた。そこへかっちゃんがＥＭＩを背負ってやってきた。重たげな足音でそれと知れた。

「カギ、Ｏ・Ｋかい」

「うん」

「よし。ぼくがひき上げるよ」

「ううん。いい。わたしでじゅうぶん上げられるとおもう」

そう言うと静はシャッター底の出っ張った部分に爪先をいれ、上に向けて引っ張った。ガラッとシャッターが五センチほど浮いた。静はそこに両掌を入れ、思いっきり力を込めた。シャッターはガラガラと音を立てて巻き上がり、底部であった三分の一ほどを残すのみとなった。三人の背たけなら余裕の脱出口であった。三人は背もかがめずにシャッターの下を通った。

「気をつけるんだよ。外はたい……」

〝台風〟と言いかけたかっちゃんの口がぽかんと開いた。

外は風はあるものの暴風雨ではなかった。嵐はぴたりと止んでいた。おまけに空には半月、上弦の月がくっきりと輝いており、星々もにぎやかにさんざめいていた。

「たいふうがすぎたのね」

静が空を見上げて呟いた。かっちゃんは開いていた口をきっと引き締めて、

「いや、そうじゃない。たいふうってのは、じょじょによわくなっていくもんだ。これはね、たいふうの〝目〟なんだ。この島はたいふうの〝目〟にはいったんだ」

「目？」

かっちゃんの背に身体を預けたＥＭＩは四周を見渡した。月明り、星明りに照らされて、いつも遊んでいたガレージや広場、クリニックの暗い窓々、そしてぽつんと建っている物置き小屋などがくっきりと見えた。

「これはてんがぼくたちにみかたしてくれたんだ。この〝目〟は二十ぷんくらいつづくよ。そのあいだにどうくつににげよう」

かっちゃんは歩き出そうとした。

「まって」

EMIが鋭い口調で言った。

「かっちゃん、あたしをあのものおきごやにつれていって」

「え、ものおきごやに？」

「そう。あたしあのなかにかくれる。あのなかなら山田のおじさんにはみつからない。かっちゃんと静ちゃんの足手まといにならなくてすむ。ふたりともはしってどうくつまでいけるわ。どう？めいあんでしょ」

「でも……。でもEMIちゃんをひとりにしてはいけないよ。ね、静ちゃん」

「ええ。……でも、ものおきごやにかくれるっていうのはたしかにめいあんだわ。わたしもEMIちゃんといっしょにものおきごやにかくれようかしら」

「おいおい、じゃ、ぼくはどうなるんだい」

「ニンゲン、三にんいればハバツができる」

静はくすっと笑った。月明りに照らされたその横顔は何かの妖精のようで、まろやかに美しかった。静は笑みを収めて言った。

「ウソぴーよ。わたし、どうくつにいく。だって院長先生がそうしろっていったんだもの。こどもはおとなのいうことをきくものよ。それがよいこのすることよ」

　ＥＭＩが追っかけて言った。

「そうね。あたしはよいこじゃないもの。わるいこよ。ドタキャンするし。でも一ぺんわるいこになったらそれでおしとおしつづけなきゃ。だから、ね、かっちゃん、あたしをものおきごやまではこんでいって。あとはじぶんでするから。ね、おねがい」

「…………。わかったよ」

　かっちゃんはＥＭＩを背負って物置き小屋まで運んで行った。小屋の板戸をぎいっと開くと、背をかがめてＥＭＩを降ろした。

「ＥＭＩちゃん、ほんとにだいじょうぶ？」

　かっちゃんの心配気な問いに、ＥＭＩは胸を張って答えた。

「あったりまえじゃん。あたしはスターなのよ。ラッキーなほしのもとにうまれてんのよ。あんなみょうちくりんなおじさんになんか、まけないわ。それに、かっちゃんいってたじゃない。おじさんはもういないって。だからへいきよ。あけがたまでここでひとりであそんでるわ」

「それならいいけど。でもくれぐれも気をつけてね」

「うん、わかってる」

　ＥＭＩはかっちゃんにウィンクすると、右足を引きずりながら物置き小屋に入り、戸を閉めた。

かっちゃんと静は心配そうにその閉められた板戸をしばし眺めていたが、やがて踵《きびす》を返して歩き始めた。山に向かって。

　ＥＭＩは暗黒の中を手探りで少しずつ進んで行った。一メートルを五歩くらいのゆっくりした歩みで。その一メートルほどのところに最初の障害物があった。傷めていた右足にこつんと当たった。激痛が初めて膝のあたりに走った。「ぎゃっ」と叫びたいほどの痛みだった。

〝かっちゃんのいうとおり、あとになってからいたみだすんだ。でも、これ、あたったのなんだろう〟

　ＥＭＩはしゃがんだ。しゃがむとまた膝に痛みが襲った。ＥＭＩは「むっ」と呻いたがその痛みに耐え、目の前にある物を手で触った。それは高さが三十センチくらいで丸いカーブ、上部と下部が水平にカットされた形だった。上部の円形は肉厚のへり以外は空洞になっている。つまり扁平な壺のようなものだ。

〝ヘンなの〟

とＥＭＩは思った。ＥＭＩは「火鉢」を知らなかったのだ。

　ＥＭＩは火鉢にかまうのを止めて立ち上がった。また痛みが走ったが気にせず、さらに奥へと進む。足に何かが当たった。つるんとしたものを踏みつけた感覚。ＥＭＩ

はそれを拾い上げた。厚さ二ミリくらいのプラスティックの板。上が半円を描いており、下は水平であった。

〝これはわかる。ぶんどきだ。みっちゃんがあたしたちのパンツのかくどをはかるっていってた、ぶんどき。……みっちゃん、どうなったのかしら。にくたらしい子だけど、生きてるといいな〟

今度はＥＭＩは巨大な物におでこをぶつけた。触ってみると身長二メートルはあろうという大きな「ダルマ」だった。

〝こんなものなににつかうのかしら。ほんとにヘンなものおき。そうか、井出ちゃんがなにかをかんがえて、レクリエイションみたいなことにつかうんだわ〟

そのとき右足ががくっとなってＥＭＩは身体のバランスを崩した。倒れそうになって右側の壁にあわてて手をついた。その右手に何か棒状の物が当たった。

ＥＭＩはその棒を握って上にあげてみた。ずしりと重かった。先端に何か重い物がついているようだった。ＥＭＩは指先でその重い物を探った。

〝オノだ。かっちゃんがスカスカまきをわってたあのオノだ。一ヵしょだけ刃がかけてる。それでもこのオノはじゅうぶんやくにたつわ。よっし、これをもって、ダルマさんのうしろにかくれて、院長先生がよびにくるのをまとう〟

ＥＭＩは斧を両手で持ち上げ、大きなダルマの後ろに体育座りで座り込んだ。抱えた右の膝小僧がキリキリと痛む。段々と痛みは大きくなっていくようだった。手で触ってみると、膝がずいぶんと腫れ上がっているのが解った。内出血しているのだろう。

ＥＭＩは片手を膝に、片手を斧の上に置いて戸の方を見ていた。戸の隙間からかすかに月光がこぼれていた。それを見ながら口腔の中でだけ響くくらいの小さな声で歌を歌った。アイドル歌手であるＥＭＩには、それ以外に時間を潰すてだてが無かったのだ。口ずさんでいるのはＥＭＩの一枚目の大ヒット、三百万枚を売り切った『帚にまたがって』だった。

♫ほうきにまたがって
飛んできたい　あいつの部屋
ほうきにまたがって
アイム・ア・ウィッチ・オブ・ラブ
あいつの窓へ

いつまで長電話
プープープー頭にくる
どの娘《こ》と長電話

アイム・ア・ウィッチ・オブ・ラブ
飛んでってやる
いつまで♪

三番目を歌いかけたとき、戸の隙間から洩れていた月明り星明りが、ふつっと消え、真の闇となった。と同時に雷の音が遠くに聞こえ、木々の葉がざわざわ揺れる音も耳に入った。そして風の轟音が派手に鳴り始めた。

〝たいふうの「目」がとおりすぎちゃったんだわ〟

嵐の音に混じって奇妙な声が遠くから聞こえてきた。それは歌声だった。男性の低い声である。最初はかすかだったその歌声は徐々に近づいてくるようだった。

♫いつまでかくれんぼ
恋の呪文で見つけてやる
いつまでかくれんぼ
アイム・ア・ウィッチ・オブ・ラブ
夜が明けちまうよ♪

最後はほとんど怒鳴っているような声だった。

〝院長先生のこえじゃない。あいつだわ。あいつがちかづいてくる〟

ＥＭＩは両方の手で斧の柄を固く握りしめた。声の主は物置きから推定十メートル以内、クリニックの壁沿いに歩いているように思えた。

声の進み具合がピタッと停まった。そして歌ではなく大きな怒鳴り声が聞こえた。

「お〜い、ＥＭＩちゃあん。いつまで隠れん坊するつもりだい？　おじさん、こう見えてもな、ぬぼうっとしているように見えてだな、けっこうセッカチなんだよ。だから隠れん坊は好きじゃないんだよ。それにさ、院長も井出ちゃんもみっちゃんもとっちゃんも、みいんなドッジボールがいいってさ、そう言ってんだよ。な？　独りで隠れん坊してたって面白かねえだろ。おじさんの言うことききいてりゃまちがいないって。この歌知ってる？」

男はまた歌い出した。

♫錆びた扉の向こうで
　死にかかってる Baby, Oh! No! ……
　錆びた扉をけやぶって

……も一度こちらに
出てこいよ……
出てこいよ♪

「ってな。山口冨士夫の曲だよ。まあ知らねえだろうがな。いいから出てこいよ、EMIちゃん。…………。出てこないのか。どうしてもか。なら、おじさん、鬼になるよ。隠れん坊の鬼だ。さて、と」

男は黙って四周を見渡している気配。

「クリニックの中の女子用便所。……いや、違うな。EMIちゃんは賢い子だから、そんな当たり前の所には隠れんだろう。隠れるならむしろ男子用トイレだな。意表を突いてな。しかし、トイレなんてのは一回見つかったら逃げようがないぞ。雪隠《せっちん》詰《づ》めって言葉もあるくらいだからな。どっちにしてもEMIちゃんさあ。淋しいだろう。かっちゃんや静ちゃんと別れて。淋しいだろ。え？」

〝なぜ、そんなことまでしってるの〟

EMIは暗がりの中で舌を巻いた。

男はさらにモノローグを続ける。

「賢いEMIちゃんの隠れそうな所。うーん、まさか物置き小屋じゃあんめえな。こんな、いかにも隠れそうな所に。ん？　いや。いかにもだからこそ隠れるのかも知れない。ＥＭＩちゃんならな。じゃ、ちょっくらお邪魔するとしようか」

足音が物置き小屋に近づいてきた。ＥＭＩは身を縮めてダルマの陰に潜み、斧をさらに強く握りしめた。

戸がガタンと開いた。

男は懐中電灯を持っていた。井出ちゃんがこども達の各部屋に一本ずつ用意していたものを見つけ出し、屋外に出たようだ。男は懐中電灯を左手に持って、下から自分の顔を照らし上げた。

血の溜池のような右目。瞼がない。額の真ん中に開いた穴。破壊された鼻。顔中血まみれで、赤くない場所を見つけることの方がむずかしい。それを下から照らし上げているものだから、これ以上おぞましい顔はこの世にないだろう。ＥＭＩはダルマの後ろからほんの少し顔を出して、男のその顔を見てしまった。

〝あのおじさんの顔がぐちゃぐちゃになってる〟

そう思った途端、喉から、

「ひっ」

というシャックリのような音が出た。途端に男は懐中電灯を翻《ひるがえ》して、ぱっとダルマの方に光を放った。ＥＭＩは素早く頭を引っ込めた。が、男はダルマの全体を光でなぞりつつ言った。

「やあ、そこにいたのか、お嬢ちゃま。こりゃ妙な所に隠れたもんだ。ダルマの後ろか。ふむ。ところでこのダルマには左目がないな。真っ白だ。白内障かな。どう思うＥＭＩちゃん。院長センセ、あれかな、市会議員の選挙か何かに出て、でかいダルマ用意してたのに、落選でもしたのかな。ん？　あの男のやりそうな事じゃないか。え？　権威主義のへぼドクターがさ。ああ？　ＥＭＩちゃん、どう思う？」

　ＥＭＩは息を止めて男の出方を見ていた。男はそれまで脚の後ろに隠していたマグロ包丁を、右手を前に出してゆっくりと大上段に構えた。そして大声で叫んだ。

「どう思うかって訊いてんだよ、おらあっ！」

　男はそのままダルマに向かって突進し、ダルマの首のあたりをぶいんと音を立ててなぎ払った。発泡スチロールでできたダルマは白く丸い斬り口も鮮やかに、ころりと床に落ちた。もともとが一個の素材を削ったものではなく、ふたつの白い玉の一部を平らに削って接着剤でくっつけたもののようだった。

　ダルマの胴の後ろからＥＭＩが斧を杖にしてゆっくりと立ち上がった。そして唇を開いた。

「そのほうちょうは、おおきなおさかなようのほうちょうよ。ニンゲンをきるものじゃないわ」

直射される懐中電灯がまぶしくて、掌で目の上に庇《ひさし》をつくりながらEMIは言った。男が今どんな表情なのかもEMIには解らなかった。男が答えた。

「ニンゲンには使わないだと？　そういやあ、あの院長もピストルかざしてそんなこと言ってたなあ。でもさ、EMIちゃん。あいつだって所詮はドッジボールになる運命だったのさ。なあ」

「ドッジボール？　なんのことをいってるの。おじさん、いってることがシリメツレツよ」

「……シリメツレツってのはどういう……。ああ、そうか。尻が二つに裂けてるってことか」

「おじさんギャグだわね」

「ああ、こういうのを〝おじさんギャグ〟っていうのか。なるほどな。しかしまあアレだよ。EMIちゃんだって、もう後一分しないうちにドッジボールになるんだよ」

その一言でEMIは〝ドッジボール〟の意味するものを直感的に悟った。

「井出ちゃん、みっちゃん、とっちゃん、院長先生。みんなおじさんがころしたのね」

「ああ、そうだよ。そして次のドッジボールがEMIちゃん、君だよ」

「そううまくいくかしら。いっとくけど、あたしは大スターなのよ。もしドラマにでるとしたら、そんなおはなしいっぱいきたけど、きゃくほんがつまんないからみんなことわったけど。でもでるとしたらあたしはしゅやくよ。ラッキーなほしのもとにうまれたのよ。で、ね、ストーリーのとちゅうでしゅやくがころされちゃうなんてドラマがある？　ないわよ、そんなドラマ」

男はしばし考えた後、

「あるよ。そんなのいっぱいあるよ。主役の女がさ、白血病とか癌とか不治の病になって死んじゃう。そういうお涙ちょうだいのドラマっていっぱいあるじゃないか。おじさんその手のやつは苦手なんだよ。ほら考えただけで目からポロポロ涙が……。あ、これは涙じゃない。血か。はは、どっかに献血カーでもないかな。おじさん、O型だから誰にでも輸血できるんだ。こんなにたくさん血を流してるのに、もったいないことだ。EMIちゃんは何型だい、血は」

EMIはあごを上げ、ヘッド・アップして澄んだ声で答えた。

「あたしはXYZがたよ」

「ほう、そりゃまた珍らしい型だな」

「大スターはみんなXYZよ」

「じゃあその珍らしい血がどんな色をしているのか、見せてもらおうかな」

「それは……えんりょしとくわ」

「ケチ臭いこと言うなよ。どんな色してるか見せろって、言ってんだよ、おらぁっ！」

男は怒声を張り上げ、懐中電灯を床に投げ捨てると、両手でマグロ包丁を頭上に保ち、そのままＥＭＩの方へダッシュした。ＥＭＩは同じく斧を両手に持つと横に水平に構えた。頭の中にいつか見た高校野球の監督の言葉が響いていた。

〝バットを短く持て。大振りするな〟

ＥＭＩはその教えどおり斧を短く持った。

「ぅおおおっ」

と喚きながら、男が突進してきた。マグロ包丁がＥＭＩの脳天目がけて振り降ろされる。ＥＭＩはその長大な刃先を右横にステップしてよけながら、同時に斧を水平にスウィングした。斧の刃先は、振り降ろしている最中の男の右手に命中した。男の右手からぱらりと三本の指が落ちた。中指、薬指、小指だ。マグロ包丁はダルマの下半身に深々と喰い込んだ。ＥＭＩは第二撃を打つべく、さっと身構えた。膝が悲鳴をあげ、疼痛《とうつう》を走らせ続けていたが、それにかまっている暇はなかった。男はマグロ包丁の柄から手を放すと、床に転がっている点いたままの懐中電灯を拾いあげた。そして自分の右手を照らした。三本の指跡からは血がどくどくと噴き出していた。男は次に床に懐中電灯の光を当て、自分の指を探した。足元から二十センチくらいの所に中指、薬指、小指が落ちていた。中指はぴくぴく動いていた。男はＥＭＩの方に光を当てると言った。

「ＥＭＩちゃんは悪い子だなあ。おじさんの指をこんなにしちゃって。これじゃもうフラット・マンドリン、弾けないじゃないか。どうしてくれんだよ、え？」

「リヤカーでもひくといいんだわ」

言いながらＥＭＩはダルマに刺さっているマグロ包丁を引き抜き、後ろに投げ捨てた。そして言葉を続けた。

「ほらごらんなさい。あたしがしゅやくじゃない。わるものをたいじするヒロイン。そう、あたしがヒロインで、このドラマはおわるのよ」

「ヒロインかヘロインか知らないがよお……」

男は床の上を四方八方懐中電灯で照らしながら、何か武器になりそうな物を探していた。

「ＥＭＩちゃんみたいな悪い子が主役になるなんてのは、キャスティング・ミスだよ。たぶん視聴率どんどん落ちてい……」

光が物置き小屋の左の隅を照らし上げた。その隅にはチェーンソーが、電動ノコギリが立てかけてあった。男は言った。

「ほう、こりゃドラマはまだまだ続くよ、ＥＭＩちゃん」

言うなり男はすっとチェーンソーに近づき、それを手に取った。

「このドラマの作者はなかなか頭のいい奴だぞ、きっと。EMIちゃん、君はどうもヒロインじゃないみたいだぞ。え？　よろしいですかあ。チェーンソーでドッジボールにしてよろしいですかあ？」

男はチェーンソーのスウィッチをONにしてノズルをくいっと引っ張った。途端にチェーンソーの刃がにぶい音を立てて回転し始めた。男はその力強い音にすっかり有頂天になった。EMIに近寄りつつ、

「よろしいですかあ、よろしいですかあ。これなら左手で握って右手は添えるだけで済む。EMIちゃん、首狩り族して、よろしいですかあ」

男はじりじりと間をせばめてくる。電動ノコギリはぶんぶん唸っている。しかしEMIの心は不思議と清澄であった。あの凶悪な武器にこの持ち重りのする斧で立ち向かわねばならない。生きるか死ぬかの瀬戸際である。しかし、

〝あたしはかつほうに、いきるほうにかけるわ〟

とEMIは考えた。そして斧を上段によいしょと持ち上げると、迫り来る相手に突進していった。そして絶叫した。

「くらえっ」

斧が落とされた。それはアンディ・フグの踵《かかと》落しのように男の肩甲骨に深々と喰

い込んだ。それでも男は、

「うっ」

と呻いただけでチェーンソーを持ち上げようとしていた。ＥＭＩは男の肩に喰い込んだ斧を引き抜こうとしたが、刃は男の筋肉や骨にしっかりと挟まれていて抜けなかった。渾身の力を込めて引いてもそれは抜けなかった。男が左腕で持ち、右手で支えたチェーンソーの嫌な音が段々首の辺りに近づいてくる。ＥＭＩの腕はとうとう脱力してしまった。

ＥＭＩの首すじにチェーンソーが当たった。まず皮膚が破れ、刃が筋肉をミンチにし、やがて皮下一センチにある頸動脈を切断した。ぴいと笛のような音がして血液が噴出した。ＥＭＩは他界した。


〈九〉


「これがどうくつかあ」

かっちゃんと静は洞窟の入り口を眺めていた。クリニックを出てから約一時間、かなり急な坂道を風雨に耐えながら二人はやってきたのだ。道といってもそれは獣道に近い、落石や窪《くぼ》みだらけの道であった。それを歯をくいしばって登っていくと、やや平らな場所に出た。そこに洞窟が口を開いていた。円く開いた穴をかっちゃんはイメージしていたのだがそうではなく、洞窟は縦に細長く、ただ下部は比較的広くなり、またキュッとしぼむ形に開いていた。つまりは凸レンズを縦にして横から見たような形だった。入り口に牛乳壜へ活けた花と線香が残っていた。花はまだ生き生きとしていた。静は考えた。

〝これはきっと井出ちゃんがおそなえしたんだわ。井出ちゃん、たまに『おさんぽ』とかいっておそとへでかけていってたもの。きっとこのどうくつまでのぼっておりて、けんこうのためにうんどうしてたんだわ〟

一方かっちゃんの方は腕組みして洞窟の入り口を眺めていた。感じたことをそのまま口に出してしまった。

「このどうくつのいりぐちってのは、おんなの人のあそこにそっくりだなあ」

静が鋭い目でかっちゃんを睨んだ。

「エッチ！　かっちゃんのヘンタイ！　どうしてこんなたいへんなときに、そんなエッチなことかんがえられるの」

「え。だってほんとにそっくりなんだもの」

「十さいのこどものくせに、おんなの人の、みたことあるの？」

「ん。いや、その。そう、もっとちっちゃいときに、おかあさんといっしょにおフロはいったりするじゃない。そのときに……」

「どっちにしてもヘンタイだわ。わたしもうかっちゃんと口きかない」

「ちょっとまってよ。いまはね、ぼくたちきょうりょくして、ちからをあわせてのりきらなきゃならないだいじなばめんなんだよ。そんなことくらいでおこらないでよ。ね、静ちゃん。ね、ね？」

「島から岡山けんまでもどったら、チョコアイスおごってくれる？」

「もちろんだよ。なんぼんでもおごるよ。だから、ね？」

「わかった。なかよくするわ。指きりよ」

二人は小指と小指を絡ませて指切りをした。

「指きりげんまん、ウソついたらハリ千ぼん、のーます」

この指切りで、かっちゃんの頭にあることが閃いた。

「ね、静ちゃん。この指っていうか、手。手をつないではなさないようにしようよ」

「どうして？」

「あのどうくつは、こわいたてあながいっぱいあるって院長先生がいってたじゃないか。それにきっとめいろみたいになってるとおもうんだ。だからふたりで手をつないでいこう。それならどちらかがたてあなにおちてもひとりがたすけてあげられるし、めいろではなればなれになることもない。そうだろ」

「かっちゃん、さえてる！」

「よし。いこう」

二人は洞窟の中へ入っていった。ゆっくりとした足取りだ。外は台風の目が過ぎて暴風雨で暗かったが、穴の中はそれにもう一塗り黒ペンキで塗りつぶしたような暗闇だった。二人はその暗黒の中に入って数歩で足を止めた。ここには稲光りさえ届かないのだ。かっちゃんが言った。

「こういうとき、静ちゃん、どうするかしってる？」

「ううん、わからないわ」

「右手をね、どうくつのかべに当てるんだ。そうすれば、どんなめいろにはいっても、もとのところにもどれる。じかんはかかるけどね」

「ほんと。じゃ、わたしがかっちゃんの右がわにいるから、わたしがかべに手をつくね」

「うん」

静が壁に右手を押しつけ、二人はそろりそろりと歩み始めた。

「でもどうして、いりぐちにはなやせんこうがそなえてあったんだろう」

「あれはね、井出ちゃんがおそなえしてたのよ、きっと。でも、どうしてだかはわからない」

「ひょっとして、ぼくたちみたいなかんじゃさんが、たてあなにおちて死んだとか」

「かもね。それとか、さっきかっちゃんがいってた、おんなの人のににてるとか、そういうものをおがむふうしゅうは日本だけじゃなくてせかいじゅうにあるわ。韓国にもインドにも。おとこの人のとあわせておがむこともあるの。〝どうそじん〟っていうのよ」

「静ちゃん、よくしってるね、なんでも」

「そんなことないわ。わたし、なんにもしらない。ただのこどもよ」

「あっ、ストップ！」

かっちゃんは静と手をつないでいたが、半歩先を歩いていた。危険を、静より早く察知するためだ。その靴底が踏みしめた一歩。靴の底の前半分が空を踏んでいた。かっちゃんは慎重に身をかがめると、地底を指で探った。思った通り、大きな縦穴が口を開いていた。直径三、四メートルはあろうと思われた。

「ほら、静ちゃん。たてあなだよ」

「もう？」

「うん。静ちゃんの方はどう。道はある？」

静は足先で前方を確かめた。確かに左側に穴があったが、右側に細い道があった。

「みちはあるわ。すこしほそいけど」

「そう。じゃ、よこならびはやめて、ぼくが静ちゃんのあとをついていくよ。いいかい、足もとにじゅうぶんちゅういするんだよ」

「ええ。わかった」

静がゆっくりと先導する。手は握ったまま静の後ろをかっちゃんが進む。そのうちに縦穴のぐるりを抜けて、元の岩道になった。

「とにかくおくへ、おくへいこう。山田のおじさんがきてもわからないくらいおくへ」

とかっちゃんが言った。

しばらくは縦穴もなく、二人はまっすぐ進むことができた。奥へ奥へ、二人はそれだけを考えて歩いた。が、途中から穴はぐねぐねと羊腸のごとくうねり始めた。そのうねりの中を百メートルほど行った頃、静が突如、

「きゃっ」

と叫びつつ沈んだ。かっちゃんはぎゅっと指先に力を込め、素早く静の左手首を左の手でがっちりと摑んだ。縦穴に静は足を滑らせたのだ。

「あんしんしろ、静ちゃん。ぼくの手をぎゅっとにぎって」

かっちゃんは背筋に力を入れて、静を引っ張り上げた。静はとても軽かった。おそらく四十三、四キロ前後だろう。その風のような軽さが、かっちゃんには何故か愛お

しく感じられた。

　静を引き上げ終わると、かっちゃんは立て膝をついてしゃがんだ。静は岩道の上に横臥《おうが》して、ぜいぜい息をしている。

「あぶなかったね」

「わたし、しんぞうがとまるかとおもったわ」

　かっちゃんは試しに手近にあった小石を拾って、穴に投げてみた。落下音に耳を澄ましたものの、いつまでたっても着地音が聞こえなかった。

「そこなしあなだよ、静ちゃん」

「…………。わたし、かっちゃんと手をつないでなかったら、死んでたのね。ありがとう、かっちゃん」

「いいよ、おれいなんか。てれくさいじゃないか」

「ううん、いのちのおんじんよ、かっちゃんは」

　静はそう言うと、手でかっちゃんの頬を探り当て、顔を寄せてその右頬にちゅっとキスをした。暗くてわからないが、かっちゃんはおでこまでまっ赤になった。それでも虚勢を張って、

「なんだ。ほっぺだけかい」

　静は笑って答えた。

「だって、わたしたち、こどもですもん」

「この右のほっぺは、ぼくはいっしょうあらわないよ」

「みぎはんぶんだけまっ黒になるわよ」

「かまわない。たいきょくマークだよ。それより、みちはまだまだとおいよ。もう百メートルいってみよう」

二人はまた手をつなぎ合って道を辿り始めた。ゆっくりと。足先の神経にフルに気を集中させて。十メートル、二十メートル、三十メートル。ここまでは何の問題もなかった。ただ三十五、六メートルのところに問題があった。二人は知る由《よし》もなかったが、そこで道が二つに分かれていた。その分かれ道は鋭角的で、ちょうどアルファベットの「Y」の字に似て分かれていた。

二人のつながれた手のつなぎ目が「Y」の字の分かれ目、鋭角をなす岩にきつめに当たった。

「いたっ」

と叫んで静がかっちゃんの手を離してしまった。そしてたたらを踏むように五、六歩前へ進んだ。かっちゃんも全く同じことをした。灯りさえあれば何でもないことなのだが、真の暗闇の中である。それまでつなぎあっていたいわば命綱でもある手が離れたのだ。おまけにかっちゃんは岩に手を当てた拍子に右手に左手を当てたまま痛さを振り飛ばすように、くるくると二、三回転するという愚行を犯してしまった。ためにどちらが進行方向か退行方向かの判断がつかなくなってしまった。結果的にはかっちゃんは誤った選択をした。つまり「Y」の字の場所へ帰るつもりで実際には奥へ奥へと進んでしまったのだ。

「おーい、静ちゃあん、静ちゃあん！」

と大声で呼びながら。

その声は静にも届いた。届いたが、声は徐々に遠ざかっていく。そのために静も判断を誤った。じっと停まっていればよかったものを、遠ざかる声を追おうとして、奥へ奥へと進んでいった。二人は全然違う方向へと歩み出したのだ。

間違いに最初に気づいたのは、かっちゃんだった。行き先が三つの道に分かれていたのだ。

〝さっきはこんなわかれみちはなかった。ぼくは、ぎゃくのほうこうへすすんでいる。もどらなくっちゃ〟

そう思って向きを変えると、前方へ向かって有らん限りの大声で叫んだ。

「おおい、静ちゃあん!!」

返事はなかった。もう一度大声を出した。

「おおい、静ちゃあん」

今度は遠くの方から、かすかな響きで声が聞こえた。

「かっちゃあん、どこにいるの」

それを聞いたかっちゃんに、ひとつのアイデアが浮かんだ。

「静ちゃあん。いまからぼく、うたをうたうからそのおとのするほうへ歩いてきてえ！」

二秒ほどして静の叫びが届いた。

「わかったわあ」

かっちゃんは歩き出しながら、できる限りの高い大声で歌い始めた。

♫教えておくれ
教えておくれ
遠い遠い蜃気楼の
風吹く街角を
おまえの国を♪

すると、かすかに透明だが柔らか味のある歌声がこちらに返ってきた。

♫さらって行って
　さらって行って
　痛い痛い砂嵐の
　風吹く街角へ
　おまえの国へ♪

声は少しずつ近づいてくるようだった。かっちゃんは最大級の声で「サビ」の部分を歌った。

♫片目を閉じれば
　世界は夕暮れ
　淋しい気持ち♪

するとさきほどより少し近くなった声が、

♫両目を閉じれば
　世界は真夜中

手を離さずに♪

美しいがほんの少しピッチのずれた、それもご愛嬌《あいきょう》の静の歌声。近づいてきている。かっちゃんは歌を続ける。

♫忘れておくれ
忘れておくれ♪

と、静が返してきた。

♫暗い暗い日の出前の♪

かっちゃんも返す。

♫風吹く街角を♪

静がごく近い声で、

♫私の国を♪

かっちゃんはさらに付け加えた。

♫一緒に出よう♪

静もまた繰り返した。

♫二人で出よう♪

闇を探る手と手がそのとき触れ合った。

「静ちゃん」

「かっちゃん」

二人は手を強く握りしめた。

「ごめんよ静ちゃん。ちがうみちへいっちゃって」

「ううん。かっちゃんすこしもわるくない。どっちへいったってわたしたちであえたのよ、けっきょく」

「そうだろうか」

「すべてのみちはローマにつうじるのよ」

「ローマがじごくでも？」

「じごくでも、かっちゃんがいっしょならこわくない、わたし」

かっちゃんは闇の中でおずおずと静の頬に触れた。その頬には一筋の涙が伝っていた。かっちゃんは静を抱きしめたい衝動に駆られたが、それは何とか抑制した。

「それよりね、かっちゃん。わたしのいったほうのみちなんだけどね、すこしヘンなの」

「ヘンって？」

「あのみちを二十ぽほどいくとね、おおきなへやみたいにひろくなってて、しかもね、ゆかがふわふわふわなの」

「ふわふわ？」

「そ。スポンジかなにかふんでるみたい。ふんわりしてるの」

「なんだろう」

「しらべようとしてるところに、かっちゃんの声がきこえたのよ」

「ふしぎだね。よし、いってみよう」

かっちゃんは静の後について歩き始めた。

「たてあなはないからだいじょうぶよ」

と静は優しく言った。

二十歩ほど行くと、たしかに道の幅が広くなり、ひとつの大きな部屋のようになった。そしてその空間の下床は何か柔らかい物を踏んでいる感触。土や砂のそれとは明らかに違っていた。

「なんだ、こりゃ」

かがんで下を触ろうとしたときに、かっちゃんは腰の辺りに異物感を覚えた。半ズボンのポケットに手を入れて確かめてみる。その物に触れ、正体が解ったとき、かっちゃんはついつい大口を開けて笑ってしまった。

「あーっはっはっはっは、あーっはっはっは」

「なに？　どうしたのかっちゃん」

静が驚いた。

「あっははははは。ぼくは、なんてマヌケなんだ。あっははは。こんなまっくらなところを手さぐりでウロウロして。あっはっは」

かっちゃんはポケットから物を取り出して右手を上げると物の蓋を開け、シュボッと火を点けた。大きな炎で、途端に周囲が明るく照らし出された。かっちゃんの顔はもちろん静のまろやかで愛らしい相貌も明るく光に映《は》えた。

「ライターだよ。それもジッポのライター。かぜにふかれてもきえない、指をはなしてもきえない。いつももってたのに気づかなかった。くらやみにまけそうになってた。ははは。ライターもってたんだ、ぼくは」

静が尋ねた。

「かっちゃん、どうしてライターもってるの？」

「どうしてって……それは……タバコをすうからさ」

「かっちゃん、わるい。こどものくせにタバコをすうの？」

「ぼくたち、ほんとうにこどもなんだろうか」

静はきょとんとした。

かっちゃんはこめかみをグリグリして頭の中の記憶を引きずり出そうとした。

「大きなプール。院長先生。アミタール面接」

「かっちゃん、なにぶつぶついってるの？」

「大きな、青い、きれいな水のプール。三歳ずつ若返る、大きなプール。でも、怖い人が一緒だ。みっちゃん。いや、三友グループの社長。三友社長。靴べらで僕を引っぱたく」

下に落ちたジッポはずっと燃え続けて周囲を照らしていた。光の届く限りのところにはキノコが密生していた。エノキダケをもう少し太くしたようなキノコだった。静がそれを見てジッポを拾い上げ、あちらこちらを照らし歩いた。

「わお。みて、みて、かっちゃん。ここのゆか、ぜーんぶキノコだらけよ。ゆかだけじゃない、ほら、てんじょうもかべもみんなキノコよ。ここはキノコのおへやよ」

かっちゃんは言われるままにジッポの照らし出す部分に目をやった。確かにこの空間はキノコで埋め尽くされていた。

「このキノコ。どこかで見たことがある。何でだろう」

かっちゃんは考え込んだ。そして思い出した。

「そうだ、三友フーズで〝なめたけ〟みたいな新商品を開発するときにいろんなキノコの資料を集めて読んだんだ。その中にこのキノコがあった。名前は……ヒカゲ……そう、ヒカゲシビレタケだ。有毒なんで商品にならなかった。有毒成分はシロシビンというアルカロイド、塩基性物質だ。幻覚性のキノコだ」

静がかっちゃんをうっとりと見て言った。

「かっちゃん、すごおい。とっちゃんよりかしこそう」

かっちゃんはそれを無視してモノローグを続けた。

「そうか、井出ちゃんは時々この洞窟に来てはキノコをたくさん採って帰ってきてたんだ。山海地獄鍋。シチューにもこのキノコがいっぱい入ってた。僕達はこのキノコを朝、昼、晩と摂取していた。それに院長のアミタール面接、暗示、催眠術が相乗効果を成して僕達の理性を狂わせ擬似的なこどもに退行させていたんだ」

「かっちゃんのいうこと、むつかしくてよくわかんない」

静が文句を言った。それでもかっちゃんは続ける。

「そうか。そうなんだ。みっちゃん、いや三友社長はいつも僕のおかずを半分横取りして食べていた。だから僕は幻覚キノコの摂取量が他の人の半分だった。それで早く覚醒することができたんだ。あの山田のおじさんも結局は僕らの共同幻想、架空のドッジボールだったんだ」

ここまで言ったとき、洞窟の入り口の方から歌声が響いてきた。洞窟の壁に谺《こだま》して声にエコーがかかっていた。

♫片目を剝《は》がせば
　世界は血まみれ
　嬉しい気持ち♪

「かっちゃん、どうしよう。山田のおじさんよ」

「静ちゃん、大丈夫。山田のおじさんはね、居ないんだ。だからそう思うんだ。山田のおじさんなんて存在しない。そう強く念じるんだよ。いいね」

「うん、わかった」

歌声はまだ朗々と続く。

♫おでこに穴あけりゃ
世界はまる見え
松果体で♪

声はどんどん近づいてくる。あの大きな縦穴も男は難なく通過したようだ。

〝あいつ、懐中電灯を持ってるな〟

かっちゃんは推測した。

♫殺《や》らせておくれ
殺らせておくれ
ギンギンうなる電動ノコで
きみらの首ふたつ
刈らせておくれ♪

懐中電灯の光がギラリと闇を貫いてかっちゃんの目を射た。強烈な光のバックにあの男がいた。右手に懐中電灯、左腕にはチェーンソーをぶら下げている。肩には斧が食い込んでいた。男はおどけた調子で言った。

「えー、毎度ご町内をお騒がせいたしております、首狩り商店でございます。邪魔になった首を安価にて刈らせていただきます。要《い》らない首はございませんかあ。よろしいですかあ、よろしいですかあ？」

かっちゃんは正拳突きの構えを取ると、男に言った。

「少しも、よろしくない」

男は言った。

「〝嫌よ嫌よも好きのうち〟っていうぜ。なあかっちゃん。刈ってほしいんだろ、首。遠慮するなよ、水臭いじゃないか」

「居もしない者に首を刈られてたまるか」

「居もしない？　こうしてしゃべってるのにかい？　とっちゃんはね、コンピュータの中のおじさんのデータ、みんな消去したんだぜ。でもほら、おじさん、こうして居るじゃないか。ナイフでえぐって、瞼切り取って、ピストルで五発撃たれて、指三本切られて、斧で肩んとこ断ち割られて、血を三リットルほど垂れ流して、おじさん、それでもここでかっちゃんと話してるじゃないか。おじさん、居るんだよ、今、ここにな」

　男は自分の顔面を、身体の傷を、懐中電灯で照らしながらかっちゃんに話しかけた。かっちゃんは首を横に振った。

「それだけの致命的な傷をいくつも負ってもまだ生きてる。人間であればとっくに死んでる。なのにそうしてしゃべってる。それが居ない証拠だ」

「おじさん、そんなむずかしいこと言われると頭が痛くなっちゃうよ。そんな駄弁は聞きたくないんだ。それより、早く、チョチョッと首を刈らしてくれよ。なあ、かっちゃん、静ちゃんてばさあ」

　かっちゃんの後ろに隠れている静がガクガク震えているのが震動で解った。

〝僕は死んでもいい。この娘《こ》だけは絶対に護ってみせるぞ〟

　かっちゃんは心の中で叫んだ。と同時に、誰から教わったのでもない言葉が脳裡をよぎった。

〝ピンチのときに必要なのは、大きな愛と小さな勇気だ〟

　この言葉は杖のようにかっちゃんを支え、戦闘する力を身体中にみなぎらせてくれた。男は言った。

「ええい、まだるっこしい。首を刈ってもいいかって訊いてんだよ。よろしいですか男がチェーンソーのスターターを押し、左上から袈裟斬りにして襲いかかってきた。

「あっ!?」

かっちゃんはその一撃をスウェイして避《よ》けると、今度は突っ込んでいって、男の右顎に掌底《しょうてい》を一発入れた。掌底はいわば相撲でいう〝張り手〟だが、もう少し掌の後部にポイントを置いた打撃だ。パンチよりも接触部分が大きいので頭全体がくらあっとなるような類の衝撃を与えることができる。

男はその一発でふらりと二、三歩あとずさった。

かっちゃんはさらに男の足元に鋭いローキックを放った。

カツッと、骨と骨が当たったような音がした。ローキックは見事に男の踝《くるぶし》にヒットした。男はチェーンソーをぶら下げたまま身をよじった。かっちゃんにとっては男のこの体勢はもってこいの姿だった。チェーンソーを前に持っていられては攻撃できる場所が少くなる。

かっちゃんはだらりと腕を下げた男の脇腹に強烈な廻し蹴りを喰らわした。揺らいだ男はまた二、三歩後ろへ引いた。男をなるべく後退させる。これがかっちゃんの狙いだった。つまりは静から遠くへ男を去らせたかったのだ。それともうひとつ、考えていることがあった。

かっちゃんは男に肩口からタックルをかました。

男は二メートルほど退いたが、倒れることなく踏み止まって、チェーンソーを頭上に振りかざした。そしてにんまり笑って言った。

「いいタックルだ。アメフトもやってたのかい？　それにしてもキックにせよパンチにせよ、いい線いってるよ。さすが格闘技合わせて二十数段だけのことはある。だがな、おじさんには勝てないよ。おじさんにはな、〝痛覚〟ってものがないんだ。痛覚のない人間がチェーンソー持って暴れてんだ。空手百段だって勝てやしないよ。さあ、どう攻める、かっちゃん」

ぶうんと唸るチェーンソーがかっちゃんに襲いかかってきた。かっちゃんは後方へ一回転してこれをよけた。反転したその足で地面に立つと、今度は右側の壁に向かって突進し、両足でその壁に飛びかかり、壁を両足で思いっきり蹴ると、その蹴った反動を利用して九十度先にいる男に全身を打ち当てた。俗に〝幻の技〟と呼ばれている〝三角跳び〟だ。

「うっ」

男はかなりのダメージを受けたらしく、また後ろへ三、四歩下がった。しかし、どんな攻撃を受けても、男はニタニタ笑っていた。「血笑」とはこういう様をいうのだろう。

〝タイのキックボクサーみたいな奴だ〟

かっちゃんはそう思った。学生時代、何度かタイを訪れたことがある。ムエタイ（タイ式キックボクシング）を観るためである。ルンピニ、ラジャダムナン、二つの会場で喰い入るようにムエタイを観た。タイのキックボクサーはいくらパンチをもらってもキックを受けてもニタニタ笑っている。

「へっ。そんなキック、少しも効いてないぜ」

という意味のゼスチュアである。男のニタニタ笑いはそれに似ているが少し違う。自分の受ける技を鑑賞し、身体に受けるダメージを楽しんでいる。そういう風にかっちゃんには思えた。

〝ほんとうに痛覚がないようだな〟

それならどう闘えば倒せるのか、打撃技では意味がないようだ。投げるか、関節技か。

考えている一瞬を突いて、男のチェーンソーが横なぎに襲ってきた。不覚を取ったかっちゃんの左肩甲骨に刃ががりりと喰い込んだ。血しぶきがぱっと飛び散った。刃は筋肉を喰い破り骨にまで届いた。かっちゃんは右にそれてかろうじて被害を最小に留めた。

「ぼくちゃん、今度は首だよ首」

男が笑った。

首目がけてチェーンソーの第二撃が襲ってきた。かっちゃんがひょいっと腰をかがめたその頭上三センチのところをチェーンソーが横切った。チェーンソーが過ぎた後、かっちゃんは立ち上がった。即座にファイティング・ポーズを取っていた。しかし、そこに左へ回されていたチェーンソーが逆に右方向に取って返してきた。それはノーガードのかっちゃんの首、盛り上がった僧帽筋の部分に喰い込んだ。やはり血が噴き出した。激しく痛んだ。

刃を喰い込ませたまま、かっちゃんは男のガラ空きの股間を膝で渾身の力を込めて蹴り上げた。急所をつぶしてやった、と思ったが男はチェーンソーをまたぶら下げて、不思議そうに自分の股間を見ていた。〝やはり痛覚がないのだ〟とかっちゃんは思った。

男はまたチェーンソーを上げて攻撃してきた。刃の先を真っすぐに向けて突進してきた。その手先をかっちゃんはミドルキックで打った。が、男はチェーンソーを落とさない。逆にまた振り上げて、かっちゃんの首を狙ってきた。かっちゃんは反射的に右手でディフェンスしてしまった。格闘技を長くやっていたためにいつもの癖が出てしまったのだ。ディフェンスする相手は拳ではなく金属でできたチェーンソーなのだ。唸りを上げる刃はかっちゃんの右上腕を切り裂いた。三秒ほどしてからおびただしく出血してきた。

二人はしばし睨み合った。お互いにボロボロの身体だった。血まみれで息がぜいぜい上がっていた。男が口を開いた。

「なかなか首を刈らせてくれないんだな、かっちゃんは」

かっちゃんも言った。

「そっちこそ、どうしてくたばらない」

「おじさんは大人だからな。こども相手にくたばってちゃ、大の男のメンツが立たねえよ」

「じゃ、これでどうだい」

かっちゃんは男の胸をパンパンパンと掌打で打って、男を後ろへ後ろへと退らせていった。

〝もう少しだ〟

パンパンパシッパシッパンパン。

張り手を続けて男を後ろへ後ろへと叩き押していった。男は笑いながら、

「もっと、もっとやれよ、え？　坊や。もっともっとはたいてくれよ。お前、はたいてばっかりで、古本屋のオヤジみたいだな。え？　かっちゃん様よ」

言葉に構わず、かっちゃんは何十発と張り手を打ち続けていく。

〝もう少しだ。もう少しであの縦穴だ〟

静が落ちたあの縦穴まで男を押していくのがかっちゃんの作戦だった。穴のほぼ近く三十センチほどまで来たとき、男が反撃を始めた。張り手を受けながらチェーンソーを振り降ろしてきた。その左手とチェーンソーを支えている指三本がない右手とをかっちゃんは二本の腕で摑み、押し返そうとした。しかし、男は想像以上に強い腕力を持っていた。それは格闘技の訓練を受けているかっちゃん以上の金剛力だった。チェーンソーの刃がゆっくりと、じわじわと近づいてくる。十五センチ、十センチ、五センチ、三センチ、二センチ。

〃だめだ。……殺される。ここまで闘ったのに〃

「へへへ。なあ坊や。最初に縦に割っといて、ちいと大人しくしといてもらって。それからゆっくりとドッジボールになってもらおうかな。おっとそうだ。静ちゃんの首ももらっとかなくちゃな。ふふ、楽しみ楽しみ。これでドッジボールが七つ揃うよ。ラッキー・セブンだ。さあ、とっとと死ねよ、おらあっ！」

男の力がさらに強くなった。そしてそれはかっちゃんの額に当たって、ちりちりっと皮膚および皮下組織を喰い破った。

〃くそっ。こんな忌々しい死に方でいいのかな、僕は……〃

両手の力を抜きかけたとき、異変が起こった。踏んばっている男の足をぐいっと押した者がいて、男は三歩ほど後退した。三歩目は縦穴の、開いた口の空中であった。

「う……うわぉ〜」

と叫びながら縦穴の中へ、チェーンソーもろとも落下していった。「わぉ〜」という声がどんどん小さくなっていき、最後には何も聞こえなくなった。男の足を押したのはもちろん静であった。

かっちゃんは、へたりと岩道の上に座り込んだ。その横に静がしゃがんだ。かっちゃんがぜいぜいと荒い息の合い間に呟いた。

「静ちゃん、ありがとう。もうちょっとで僕ドッジボールにされるところだった。六つ目のね」

「わたしだって七つ目になるのはイヤだもの」

静のしゃべり方がこどもっぽくなくなっている。

「静ちゃん、ひょっとして君」

「うん。私のこども時代ももう終わりかけてるみたい」

「キノコの影響とか院長先生の催眠術の影響とかから離脱し覚醒しかけてるんだ。やったね、静ちゃん。いや龍善寺静さん」

「いやだわ、そんな言い方。いつも通り、静ちゃん、って呼んでよ。仲良しでしょ、私達。そうでしょ、柿沼くん」

「柿沼くんか。久し振りだな、そうやって呼ばれるのは。でもやっぱり変な気がする。

僕のことは〝かっちゃん〟って呼んでよ。ね」

「わかったわ、かっちゃん。でも、怖かったわねえ、山田のおじさん」

「うん、怖かった。こんなに怖かったのって、僕は生まれて初めてだよ」

「もっちろん私もよ。でも、山田のおじさん、ほんとうにもう居ないの？　ほんと？

もう居ない？　もしかしてまだ居るんじゃないの？」

かっちゃんが立ち上がって叫んだ。

「静ちゃん！　そんな事、考えたらダメだっ」

「え？」

「そんなこと考えちゃダメなんだっ」

「え？　でも……」

その途端、縦穴の開いた口のすぐ近くで男の声が響いた。

「よろしいですかあ、よろしいですかあ？」

男が穴からずりずりと這い出てきた。左手にはチェーンソーを大事に握っていた。

そしてゆっくりと立ち上がると、チェーンソーを右肩にかつぎ、再度、

「よろしいですかあ？」

と言った。

かっちゃんも立ち上がり、きりっとした表情で男と対峙した。

「底なしの縦穴に落ちて、なぜまだ生きてる」

男は引きつったような笑いを浮かべて言った。

「だからね、死なない薬をつけたんだよ」

「そうかい、おじさん。でも僕はね、死なない薬をつけた者を死なす薬を持ってるんだよ」

「ほう、そうかい。それがどれほどの薬か、ちょいと見せてもらおうか」

男はチェーンソーを作動させた。三本指のない右手でそれを持ち支える。じりじりとかっちゃんの方に寄ってくる。かっちゃんも一歩ずつ男に寄っていく。静は蒼白い顔でそれを見詰めている。

二人は四十センチほどの間を置いて立ち停まった。かっちゃんの両目と男の片目がぶつかり合う。何秒？　何十秒？　何分？　永劫とも思える時間を二人は睨み合って過ごした。

いきなり男がチェーンソーを上にあげて、

「おおおおお〜」

と叫びながら襲いかかった。

かっちゃんはその場でくるっとトンボを切った。トンボを切るその足でかっちゃんはチェーンソーを持つ男の手を蹴り上げた。鋭い蹴りだった。男はチェーンソーを遥か後ろへ飛ばしてしまった。

「柿沼三郎、一九六〇年生まれ」

かっちゃんが男の両肩を摑んで大声を放った。言い終わった後、きょとんとしている男の額に、
ゴン！

と強烈な頭突きを入れた。

「東京都阿佐谷生まれ。性格温和。責任感、忠誠心強し。血液型A型」

ここでまた頭突きを、
ゴン！

とかました。

「早稲田大学政経学部卒」

ゴン！

「一体全体、何を言っとるんだ、君は」

男は涼しい顔だった。かっちゃんはなおもモノローグを続ける。

「卒業前、就職活動に奔走するも生来のあがり性が禍いし、一社も受からず」

　ゴッッ！

「何なんだ、それは。お前は頭がおかしい」

「ついには『女子社員募集』の会社に女装して面接を受けるも見破られる」

「ほう、そりゃまた珍奇なことを」

　ゴッッゴッッ！

「そこに商談に来ていた三友社長に認めてもらい、入社。以来二十年、三友社長の腹心の部下となる」

　ゴッッゴッッゴッッ！

「趣味頭突き。極真空手四段、詠春拳、ジークンドー、コマンド・サンボ、テコンドー、カポエラ、シューティング、古流柔術、古武術、ムエタイ。全部合わせて二十数段」

　ゴッッゴッッゴッッゴッッ！

　男は多少よろめきながらも、しっかりと立っていた。かっちゃんの目を片目で睨みつけ、

「おい。もっとやってくれよ。しかしそのパチキではおれを殺すことはできないな、かっちゃん。おれは痛くもかゆくも、何ともないものな」

かっちゃんの鼻の先十五センチほど。男は顔を近づけて言った。かっちゃんも唇を開いた。

「八分間頭突きをして四分間休む。この四分間は痛くないから気持ちいい。そうやって二十年間過ごしてきたんだ。馬鹿な生き方だった。パチキは強くなったよ。それが痛くないだと？　なぜ痛くない。僕は強烈に痛いぞ。頭の鉢が割れそうなくらいに痛いぞ。なのになぜお前は痛くない？　それはお前が……」

かっちゃんは男の両肩に手をかけた。上背を思いっきり反らせて、

「居ないからだぁっ！」

満身の力を込めて、頭突きを男の額、第三の目に穿《うが》たれている血穴に向かって打ち込んだ。

ゴキュッ

という骨の割れるような音がした。男は三、四歩後退すると、

「よろしいですかあ」

と言った。

「よろしいですかあ」

二回目を言う頃、男の姿がぼやけて半透明になってきた。

「よろしいですかあ」

かっちゃんと静が凝視するなか、男はどんどん透明になっていき、最後に蚊の鳴くような小さな声で、

「よろしいですかあ」

と言って。……消えた。跡には何か空気のたゆたいのようなものがかすかに揺れていたが、やがてそれもなくなった。

かっちゃんは静に言った。

「今度こそほんとうに、終わったよ。遠い遠い蜃気楼は砂嵐に吹かれて消えちゃったよ」

静はにっこりと笑みを返した。笑いジワが目の端に浮かんでいた。

「入り口、じゃない、出口から出よう」

二人は歩き出した。最初に出くわした大きな縦穴を慎重に越えると、後はまっすぐに歩くだけだった。二人はそれまでについた癖で手を握り合っていた。

出口を出た。

外の嵐はほとんど収まりかけていて、雨もなく、多少の風が吹いている程度だった。

洞窟の前に何人かの人影があった。月明りで顔がわかった。院長、井出ちゃん、み

っちゃん、とっちゃん、ＥＭＩの五人だった。

院長が進み出て言った。

「悪い夢からお帰り。かっちゃん、静ちゃん。いや柿沼さん、龍善寺さん」

井出ちゃんが言った。

「そうよ。私達、とても悪い夢にうなされてたのよ。山田のおじさんが消滅すると同時に私達は目覚めたんだわ」

かっちゃんはみっちゃんに言った。

「三友社長。私というものが居ながら、社長を護りきることができませんでした。これこの通り」

かっちゃんは地面に膝をつけ、平伏した。

「柿沼三郎、伏してお詫び申し上げます」

みっちゃんはかっちゃんの方に近づくとその肩に優しく手を置いた。

「土下座するようなことを君はしたかい、かっちゃん。それなら報告書にして提出してくれ。ただし宛名は〝みっちゃん〟としてくれよ」

静がとっちゃんに言った。

「とっちゃん。山田のおじさんは〝架空のドッジボール〟だったの？　それともほんとに居たの？」

とっちゃんはしばし考え込んだ。

「……居たか居なかったか。それはむずかしい問題だね。ただね、こういうことは言えるよ。僕たちみんなだけどね、〝大人〟になると、忘れちゃうんだよ。山田のおじさんのことなんかね」

「私は忘れないわ。だって山田のおじさん、居たもの」

「………。素粒子論でいくとね、この世界の最小単位は〝クォーク〟だ。一九六四年にゲル＝マンという人によって提唱された。スピンは二分の一で、電荷は電気素量の三分の一の整数倍だ。ところがこのクォークというのは点滅しているんだ」

「何のことだかさっぱり」

「いや、つまり、この世界は在《あ》ったりなかったりするわけだよ」

「じゃ……」

静が息を呑んだ。

「私達も山田のおじさんみたいなものなの？　私達、居たり居なかったりするの？」

と、土下座から立ち上がったかっちゃんが口をはさんだ。

「ぼくたちは居るよ。なぜならね……。僕は静ちゃんを愛している。だから命をかけて護ったんだ。愛する相手が居て、愛する僕のこの心が有る。素粒子がどうだか知らないけれど、僕たちは居る。これだけは間違いないよ」

静は淡い微笑をかっちゃんに向けた。

ＥＭＩが海の方を見て叫んだ。

「お日さまよっ」

一同、ＥＭＩの指さす方を見た。

海原、水平線の東の方がかすかに白《しら》みかけていた。海鳥が歓喜の声をあげて飛びまわった。

白んでいた光は徐々に強く、黄金色になった。

そしてその光の本体である太陽が、

少しずつ

少しずつ

昇っ

た。

（完）

MAKING of「こどもの一生」

本作を読み終えられた読者諸兄へ、あるいは書店で後書きから立ち読みしている皆さんへ。この拙作は構想十四年、執筆一年半。自分で言うのも何だが、よくできたB級ホラーである。B級ホラーというものは、まず予算がないのでCGやSFX、高名な役者は使えない。そのぶんB級ホラーはアイデアを絞り出し、ショッキングなシーンを低予算で創り出す。だからB級でもいいものはとてつもなく面白い。

おれは自分の性《さが》としてA級を避け、B級を好む者である。「B級は永久だ」なるコピーも作った。したがってこの作品もB級、ただし超B級のコンセプトで貫かれている。しかし、ただただ恐怖を与えるだけのグロテスクなものにはしなかった。その辺はB級の埒《らち》を踏み外しているかもしれない。

本作品のアイデアのとっかかりになったのは十数年前のある一夜だった。広告仲間の友人と一緒に、あるバーで飲んでいた。楽しい酒なのだが、ひとつ気に喰わないことがあった。仲間うちの一人Kがやたらと人の話にクチバシを入れるのだ。たとえば

CM製作のTプロのYという人物の話をしていると、横から、

「あ、TプロのYちゃん。知ってる知ってる。あいつは京大出てるけど、アタマはあんまり良くないね。人の話聞いてないし。養子なんだよ、あいつ。家では奥さんにアタマが上がらんのだよ。その反動でやたら威張ってる」といった調子で、XプロのR、知ってる知ってる、D社のFクリエイター、知ってる知ってる、H社のT、知ってる知ってる。やたらと人の話に首を突っ込んでくるのだ。我々は少しウンザリしてきた。

で、Kがトイレに立っている間におれが一計を案じた。ここは一つMさんという架空の人物を創り上げてしまう。Mさんの話題で一同ワッと盛り上げる。でもKはこの話に参加できない。当然だ、架空の人物なのだから。

果してトイレから帰ったKはMさん話に参加できず、カウンターの端で薄くなった水割りを啜っていた。我々としてはしてやったりである。

ただ、このゲームは二度とやらなかった。危険だからである。

もし万一、Kが、

「あ、Mさん、知ってる知ってる」

と言い出したらどうなる？　Kに対する人間的信頼が根本から失われてしまうではないか。非常に危険なゲームなのだ。だからやめた。

その後しばらくしておれは同じバーで独りで飲んでいた。あのゲームを思い出して

いた。そのとき、「もしかして……」という考えが閃いた。その瞬間、背中をゾゾゾと寒気が走った。そしてこのゾゾゾがネックとなって、この物語が生まれた。

この「ゾゾゾ」に枝葉、肉をつけていったのが小劇場用の脚本「こどもの一生」である。これはおれが立ち上げた「リリパット・アーミー」用ではなく、劇団「賣名行為」にプレゼントとして書かれた。リリパットのわかぎゑふが、

「よその劇団にこんないいの書いて」

と怒ったのをよく覚えている。リリパット用に書いたのは中国もののカンフー、ドタバタ芝居だったからだ。

その頃、おれは百％ギャグの芝居ばかり書いていた。それが受けて、〝動員一万二千人〟を超える小劇場界のモンスターにリリパット・アーミーは成った訳だが、ここで釈然としない現象が起きてきた。客が口をあけて来るのである。最初から笑う態勢で来ている。リリパット・アーミーは笑いの「ブランド」と化してしまったのだ。バナナの皮ですべっても笑う。頭をひねって編み出した周到なギャグでも同じ音量で笑う。作家にとっては合点《がてん》がいかない現象だ。そこでひとつ、

「怖がらせてやれ」

という想いが出てきた。それで書いたのが劇場用「こどもの一生」である。

この芝居の初演の日、おれは客席の後方で見ていた。最初から三分の二はとても娯《たの》

しい、笑いに満ちた芝居だ。それが三分の二を過ぎた時点で笑いの要素の全てが恐怖へと反転する。と、前の席にいた女の子が隣りの子を突ついて、

「どうしよ。これ、怖いやん」

と震える声で言った。

「やった！」おれは小躍りしそうな喜びに包まれた。これ、この反応が欲しかったのだ。

「こどもの一生」はその後「リリパット・アーミー」「ＭＯＴＨＥＲ」の二劇団で上演されている。自分の脚本の中では「ベイビーさん」「天外綺譚」と並ぶ作品ではないか、と感じている。

この脚本（九十枚ほど）をノベライズするには時の経過を必要とした。ビジュアルで視た「こどもの一生」のイメージが強烈に焼きついていたからだ。映画や芝居を小説に直すのはむずかしい。ビジュアルイメージを一度破壊して、それから言葉で再構築しなければならない。そうして初めて、読者が各自のイメージを作っていくことができる。小説のみが成し得る特権だ。「映画があれば小説なんていらない」――この駄論を論破するためにおれはこの作品を書いた、と言えなくもない。

躁うつ病用のトランキライザーを多量に服用していたために四年前、目が視えなくなった。従ってこの本の前半三分の一は口述筆記で妻に書いてもらったものである。残り三分の二は薬をやめて目が晴れ上がったので自筆で書いた。したがって表記の違いや誤字などは訂正したが、それでも何か整合性に欠ける部分があるかもしれない。そこはご海容賜りたい。

執筆中に、大麻所持で逮捕され、二十二日間の拘置所づとめ。保釈されてまたすぐに精神病院への入院。囚《とら》われの身の中で、最後の百枚を三日で書き上げた。誇大妄想狂ではないが、凡百のものを見下ろす傑作ができたと思っている。ことにラストの百枚は巻措《お》くあたわざるスペクタクルだ。

書くに当たっては作家イアン・フレミングをいつも念頭に置いていた。「007」シリーズの作家である。彼の作品は前半五分の四は全く面白くない。ジェームズ・ボンドがどのオーデコロンを付けたの、パーティに出たの、パラノイアックでトリビアルな描写が延々と続く。もう読むの止めようか、とも思う。ところが後の五分の一が引っくり返るくらいに面白いのだ。そのイアン・フレミングを想起して、前半三分の二は面白く、楽しく、尖がったエンピツで書いた。そして〝ピンポーン〟で始まる残りのテリブル・シーンは、おれの血糊にペンを浸して書いた。

諸兄はもはや夜中にトイレに行くことはできないだろう。それでも、それでも……
よろしいですかあ？

中島らも

二〇〇三年十月

解説

いしいしんじ

中島らもは話を飼っている、という言葉が不意に、「こどもの一生」を読み終えたときに浮かんだ。「話を飼う」とは、いったいどういう意味だろう。意味、とまでいわなくとも、中島らもにまつわる、おおよそどんな感じのことを私は、「飼う」という言葉で受けとめたのだろう。これは書きながら考えてみよう、と思った。だからいまは、まだなにもわからない。

窓のむこうには北アルプス、目の前に柿の木がある。「こどもの一生」を読み返したのは三浦半島の家で、いまはその一週間後、本はもちろん持ってきている。庭に目を落とすと、スイセンが咲いている。昨日、庭で椿の花が落ちた、妻が死んだ、というような書き出しで始まる小説を、俺は絶対に書かない、読みたくもないと、らもさんは私にいったことがある。コピーライターをやっていた頃、中間小説、という括りで呼ばれる小説を片端から読み、心底おもしろい、と感じた作品がまったくなかったので、自分で書こうと思った、ともいっていた。また別のときには、「三島由紀夫っておもしろいと思ったことがない……あ、俺いま、たいへんなこと、いってもうたな」と苦笑いしてつぶやいた。その時々は深く受けとめなかったが、いまにして思うと、らもさんは結局、自分が「おもしろくない」と思ったような小説も、分け隔てなく手に取り、最後まで読んでいたわけで、一冊ごとの反応は違ったとしても、小説という表現・行いに対し、その価値を深いところで認めていた、というのはまちがいのないことと思う。どういう価値かといえば、無論それは、中島らも本人にとって、意味をもつ価値である。趣味とかそれで稼げるとか、あるいは他の表現に比べてどうこうといった、社会生活上のことでなく、これがあるなら生きていてもいい、あるいは、生きている間の自分はこれをやる、といった、中島らも自身の存在、つまり生死に関わる価値である。

これは推測で、本人に確かめてみたことはないが、らもさんはおそらく、この世で起きる出来事、ひとの思い、物事の意味など、あらゆることが、だいたいにおいて一目で理解できるひとだったように思う。どんなものを見ても即座に「あ、こういうことか」と筋道がわかってしまうのだ。私は二年間、毎月らもさんの事務所にいって、特定のテーマに沿っていろいろと話す、ということをつづけていた。どういう感じだったか思いだしてみると、目の前に座ったらもさんは、自分の足下にぽっかりと開いた真っ黒い穴であり、それが穏やかに笑いながら、「飛び降りてみい、いしいくん、

「飛び降りてみい」と私を誘う、私は誘いに乗り、ときには意地になって、ひょいと飛び降りる、すると真っ暗になり、耳元でざあっと風音が響いて、私はくるくるまわりながらえんえん落ちていくのだが、ふと気づくと、白々とした明るい地面に立っており、その地面にはまた真っ黒い穴があって、「飛び降りてみい、飛び降りてみい」と私を誘っている、そういうことの繰り返しだった。毎度おそろしく、また、目の眩むような感覚があった。そしていま、遅まきながらわかったのは、らもさんはその黒い穴のみならず、飛び降りた私がいつのまにか立っている、あの明るい地面でもあった、ということである。らもさんにはすべてが見えていた、だからこそ、支えてもくれていたのだ。

小説の価値、という点に戻れば、中島らもにとって小説は、人間のするあらゆる行いのなかで、一見もっとも余計で、あろうがなかろうが別にどうだって構わず、しかし、どういうわけか、人間が人間をやりはじめたころからずっと誰かが、細々とそれらしいことをやっているという、いってみれば、数少ない「わからない」ものの筆頭にあったのではないか。わからないから、近寄ってみる、というぐらいのもので、それで何かを伝えようとか、新しい価値を世に出そうとか、意図をもって小説を選んだ、ということはおそらくなかった。彫刻家が粘土に、画家が絵の具に近づいていくように、中島らもは小説に近づいた、あるいは、気がついたら小説のそばにいた。中島らもは小説に近しさを感じ、読み、そして書いた。書いてみるといっそう「わからない」度合いが増し、次々と書くようになった、と、そんなような気がする。内からわき上がる、といったものでなく、つまり自己表現としてではなく、周囲のわかりすぎる世界にささやかな破れ目をあける、理路整然と並んだ事象のあいだに、半透明な生き物を無軌道に飛びまわらせる、といった感じで、小説を書き、それを自分の外に置いた。「こんなのが出来たのか」としばらく見つめ、「わからんな」とつぶやき、また次を書く。

中島らもの小説はだいたい感触が冷たい。もちろん、人間性がどうこうといったことでなく、少し離れたところで見ている、中島らもの視線の冷静さが、小説にたしかな冷たさを与えている、という印象がある。ところどころ、急に熱を帯びる箇所がある。「盛り上げてやろう」とか「泣き所だ」といった意識なしに、中島らもの手を離れて、そういう風になってしまうのだ。そこがおそらく、中島らも自身も書いていておもしろく、価値を感じていたところであり、全編を通じて見れば低い平熱がつづいている中に、じわりと熱が上がる部分が不意に現れるという「わからなさ」が、読んでいる私にとっても、中島らもの小説を読む楽しみの、大きな部分を占めている。

平易な言葉を使っているし、ストーリーはけして難解ではない。けれどもそれらは小説の表面になにが書いてあるか、という話であり、音楽に喩えていえば、歌詞カードを見て「ああ、こういう簡単な歌か」と思っているのに似ている。じっさいの音楽は聴いてみないとわからない。

「ホラー」「冒険小説」などという区分も中島らもの小説にはじっさい意味がないし、あらすじを紹介しても仕方がない。いま浮かんだのが「転調」という言葉だ。中島らもの小説を読んでいると、短い部分、たとえば会話文のなか、パラグラフの文末などに、読んでいる流れの方向を、自然に変えるような文章が出てくる。また、全体を見わたすと、序盤から中盤、やがて後半へと進んでいくのに従い、小説の気配、調子が、あきらかに変わっているのがわかる。どのような小説にも転調があるのはもちろんだし、意図的に複雑なコードチェンジを繰りかえす小説も少なくはないが、中島らもの場合、シンプルかつ自然発生的な、「いつの間にかそうなっている」という転調でありながら、中島らもの小説でしか味わえない、内外がねじくれたような感覚がからだの芯に残る。転調するときの隙間に、一瞬、中島らもの内側が漏れ出すのかも知れない。

「こどもの一生」でも、はじめは性別や、社会的地位から生じる個人の性格のずれ、そのずれから生じる会話の段差などがいろいろと書かれ、ある治療を境にそのずれがラディカルになり、また終盤になると、話がサイコホラーの様相を呈してくるといった、目に見える転調が随所に明らかだが、読んだあとに残るのは、そういうストーリー上の変転ではなく、読んでいるあいだの、小説の走りかたの変化、全体の揺れ動き、体感温度の乱高下といったもので、これもらもさんがよくいっていたことだが、「読んだ後、なんにも残らない、なんにも覚えてない、でも、ああ、読んだなあ、って感じだけがある小説」そのものになっている。

そして、この小説の「笑い」はどこから来るのだろうか。「恐怖と笑いは、同じもののたまたまの裏返し」とも、らもさんはいっていたが、「血糊《ちのり》にペンを浸して書いた」と本人が後書きで述べている終盤のシーンさえ、たしかに血の凍りそうなホラーにはちがいないけれど、「よろしいですかあ」「よろしいですかあ」と繰りかえしつつ追ってくる殺人者を書いているあいだ、らもさんはきっと心の深いところで、たしかに笑っていたと思うのだ。「山田のおじさん」と呼ばれる男は、最後の最後になってもやはり、どうして現れたのかわからない、小説を越え、はみだしてきたような存在だが、実のところもちろん彼も、小説のなかに生きているわけで、この途方もないわからなさを生きている「山田のおじさん」こそ、小説を書く喜び、たのしみを凝縮させた、中島らもにとって、それこそ「凡百のものを見下ろす」(後書きより)存在だったにちがいない。人間とはだいたい、現実に、「山田のおじさん」のように存在している。その実感が、深いところでの「笑い」を生み、中島らもは小説のなかにはじめて、相棒が出来たような気がしていたかも知れない。

相棒、という言葉が出て、「飼っている」とはどういう感じかわかってきた。小鳥や犬を飼う、つまりはペットのようなことではなく、「羊飼い」の男のイメージである。山間の岩場を何十頭もの羊を連れてたったひとり男がいく。熟練の羊飼いは、群れをひととおり見わたしただけで、からだの部分が欠けたような感じで、何頭いない、と瞬時にわかるそうだ。といって、羊と自分が一心同体だなどとは思ってもみない。結局はなんだかわからない。人間は羊とは違う。自分が生まれてくるより前に羊たちはいる。ただし、山に登っているときの男にとって、羊はペットでも飯の種でもなく、生きる意味である。自分がいるので、羊たちはこうしてちりぢりにならずに集まっているのだ。誰もいない山肌を羊の群れが流れていく。羊たちは気ままに、群れを出たり入ったりする。その流れを崩さないよう、男は目を配り、ときどき笑みを浮かべて低く口笛を鳴らす。牧羊犬が吠える。流れは凝集し、自然に曲がる。この犬がつまり「山田のおじさん」のような何かである。

【中島らものホラー幻想小説】

人体模型の夜

一人の少年が「首屋敷」と呼ばれる薄気味悪い空屋に忍び込み、地下室で見つけた人体模型の胸元に耳を押し当てて聞いた、恐ろしくて美しすぎる12の物語。

ガダラの豚 Ⅰ Ⅱ Ⅲ

アフリカの呪術医の研究学者・大生部教授。8年前に長女のアフリカでの事故死以来、妻は神経を病みアフリカ呪術の新興宗教に。呪術師バキリとの壮絶な戦いが待っていた。

水に似た感情

人気作家・モンクは友人のミュージシャンたちとテレビ取材でバリ島を訪れる。そこで呪術師の超常現象を取材する。リアルに迫る幻想体験を通じて心癒される物語。

【中島らもの名作悩み相談】

新聞連載され大爆笑の「悩み相談」の名作を新たに編み直した永久保存版。

中島らもの特選明るい悩み相談室　その1　ニッポンの家庭篇

「ゾッとするほどあんこ中毒の父」「将来の夢はピーマン屋といいはる娘」などなど、思わず吹き出す珍相談と、思わず唸る絶妙な回答。

中島らもの特選明るい悩み相談室　その2　ニッポンの常識篇

「焼きじゃがいもにみそをつけて食べると死ぬってホント」「どうして『社会の窓』っていうの?」といった社会のルールに関わる珍問奇問にどう対応する!

中島らもの特選明るい悩み相談室　その3　ニッポンの未来篇

「結局死ぬと思うと何もかもむなしい」「人間も光合成ができたらいいのに」。未来を見据え、未来を憂う質問に鬼才・らもさんが迎え撃つ。

集英社文庫

こどもの一生《いっしょう》

2006年7月25日　第1刷　　定価はカバーに表示してあります。
2022年4月6日　第4刷

著　者　中島《なかじま》らも

発行者　徳永　真

発行所　株式会社　集英社
東京都千代田区一ツ橋2-5-10　〒101-8050
電話　【編集部】03-3230-6095
【読者係】03-3230-6080
【販売部】03-3230-6393（書店専用）

印　刷　凸版印刷株式会社

製　本　凸版印刷株式会社

フォーマットデザイン　アリヤマデザインストア　　マークデザイン　居山浩二

ISBN978-4-08-746057-5 C0193